에세이 지저귀는 아침

푸르른 날의 행복 수채화

<에세이 지저귀는 아침>

푸르른 날의 행복 수채화

발　행 | 2024년 01월 16일
저　자 | 박주영
펴낸이 | 한건희
펴낸곳 | 주식회사 부크크
출판사등록 | 2014.07.15(제2014-16호)
주 소 | 서울특별시 금천구 가산디지털1로 119 SK트윈타워 A동 305호
전 화 | 1670-8316
이메일 | info@bookk.co.kr

ISBN | 979-11-410-6694-9

www.bookk.co.kr

"비록 가장 작은 성취들일지라도, 위대한 성공을 위한 길을 만들어준다."

- 메리 케이 애쉬

"Even the smallest achievements pave a way to great success."

- Mary Kay Ash

푸르른 날의 행복 수채화

박주영 지음

CONTENT

61 Think & Thank
62 스스로 낮아질 수 있는 용기
63 사람이 온다는 것은
64 이름없는 들풀도 대자연의 일원이다
65 강인한 뿌리는 아픈 고난의 선물이다
66 삶의 태도와 레토리카
67 포용의 시선
68 자긍심은 나의 존재에 대한 권리이다
69 새로운 날은 새 희망과 함께
70 밸랭의 교훈
71 마지막 레슨
72 가까운 사이가 잘 다투는 이유
73 거대한 불꽃처럼
74 내 마음의 선택
75 모든 곤란은 차라리 인생의 벗이다
76 노력하지 않는 것은 사랑하지 않는 것이다
77 눈부신 날이 너에게
78 흔들리지 않는 믿음
79 느티나무와 무늬
80 걷기의 인문학

저자 소개

박 주 영(1966. 1. 5)

대한민국 서울에서 태어나 공교육 과정을 거쳐 미국으로 유학하였다.

미국 캘리포니아주, 샌프란시스코에서 박사과정을 마치고,

스탠포드대학과 버클리대학의 학생들에게 리더십 교육을 진행하였다.

대한민국의 국제형 교육기관에서 학교장으로 재직하였고,

인도를 여행하며 아이들에게 꿈을 심는 리더십 교육을 진행하여 왔다.

가족과 함께 호주 시드니로 이주하여, 작가로서 글을 쓰면서,

인도 마하라슈트라주의 바닷가 마을에 꿈의 학교를 만들고 있다.

저서

인문학 도서, 세계사 라이벌 1, 2

에세이, 망고와 원숭이

동화집, 아기 토끼의 꿈

시집, 빗속의 연가

신문 연재, Vision Essay 등

01 비를 맞는 자유

세계적인 성악가 조수미님이 은퇴하면 가장 해보고 싶은 게,
자유롭게 가만히 서서 온몸으로 비를 맞아보는 것이라고 한다.

평생 몸 걱정, 감기 걱정에 노심초사했던 대성악가의 삶이 그려진다.

자기를 관리한다는 것, 자신을 최고의 모습으로 유지한다는 것은 그만큼
힘들고 때로는 자유롭지 않은 도전일 수 있다.

하지만 그것이 또 하나의 성장이라면 우리는 기꺼이 받아들여야 하지
않을까..

그래도 때로는 비를 맞는 자유로움도 갖고 싶다.

"인생이란 폭풍우를 피하는 것이 아니라, 빗속에서도 춤추는 법을
배우는 과정이다."

Rain and Freedom

The world-famous singer, Sumi Jo said that when she retires, the thing she wants to do the most is to stand still outside and enjoy the rain with her whole body.

It depicts the life of a great musician who has been worried about her body condition and cold all her life.

Taking care of yourself, and maintaining yourself at your best, can be a difficult and sometimes a restraint challenge.

But if it′s another growth, shouldn′t we be willing to accept it?

Still, sometimes I want to have the freedom to feel the rain.

″Life isn′t about sheltering from the storm. It′s about learning to dance in the rain.″

02 My dream is

"My dream is exhibited in the life gallery."

"나의 꿈은 인생의 갤러리에 전시된다."

낡은 티셔츠에 쓰여있던 말인데 다시 보니 엄청난 말이었네.

나의 갤러리에는 어떤 꿈이 그려져 있을까..

언젠가는 희미했던 그림이 밝게 그려질 날이 오겠지.

그렇게 작은 그림 하나라도 걸 수 있으면 좋겠다.

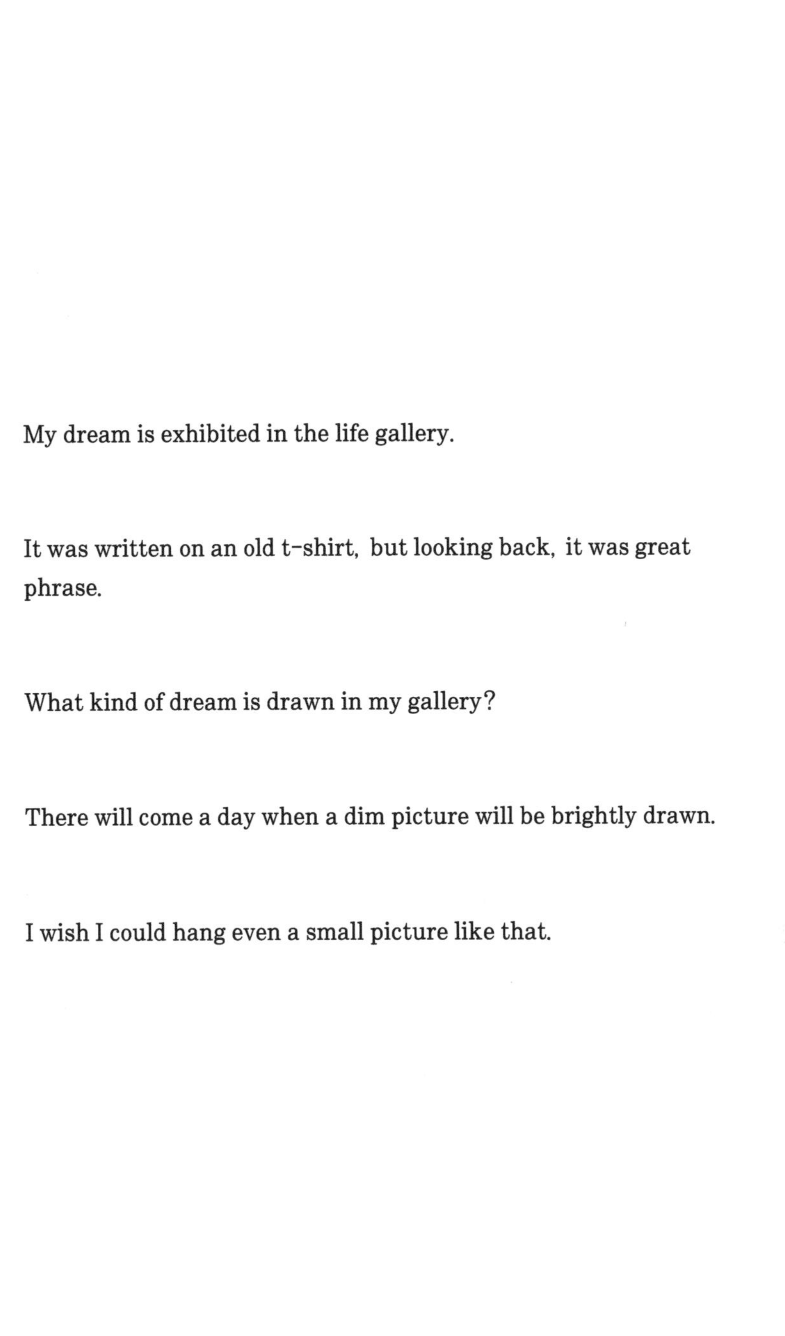

My dream is exhibited in the life gallery.

It was written on an old t-shirt, but looking back, it was great phrase.

What kind of dream is drawn in my gallery?

There will come a day when a dim picture will be brightly drawn.

I wish I could hang even a small picture like that.

03 갈망이 없으면 길들여진다

영화 쇼생크 탈출에서, 50년간 감옥살이를 하였던 죄수가 가석방이 되었다.

자유의 몸이 되어 스스로 방도 얻고 살림살이도 마련하였다.

그런데 그는 평생 갖지 못했던 자유를 얻었지만, 얼마 안 가 스스로 목숨을 끊고 말았다.

그가 스스로 할 수 있는 일은 거의 없었고 결국 두려움 속에서 살아가야 했기 때문이다.

갈망이 없으면 길들여진다.

변화와 성장에 대한 갈망이 없이는 결국 두려움에 길들여진다.

나는 갈망 없이 살 수 있는가?

In the movie, The Shawshank Redemption, a prisoner who spent 50 years in prison was paroled.

He became free, got a room on his own, and furnished his room for himself.

He was given freedom he had never had in his life, but he soon took his own life.

There was little he could do on his own, and he had to live in fear in the end.

If there is no desire, you are tamed.

Without a longing for change and growth, we eventually become accustomed to fear.

Can I live without longing for this?

04 감동은 작은 배려에서부터

간디가 기차를 타려고 하다가 신발 한 짝을 떨어뜨렸다.

그러자 얼른 나머지 한 짝도 벗어서 던졌다.

그 모습을 의아하게 지켜보던 기자들에게 말하기를,

"기찻길에서 신발 한 쪽을 주운 가난한 사람이, 이제 나머지 한 쪽마저 가지게 되었네."

작은 감동을 주는 이야기이다.

그의 평소의 삶의 자세를 보여주는 일화이다.

감동은 작은 배려에서부터 출발한다.

다른 사람을 배려하는 그 마음이 서로에게 잔잔한 감동을 불러 일으킨다.

서로에게 감동하는 매일이 되었으면..

Gandhi dropped a shoe while trying to get on the train.

Then he quickly took off the other one and threw it away.

He said to reporters who watched the scene curiously.

″The poor man who finds the shoe lying on the track will now have a pair he can use.″

It is a story that touches our hearts.

This is an anecdote that shows the attitude of his daily life.

Touching starts with a little caring.

The feeling of caring for others evokes a calm feeling for each other.

I hope every day we can touch each other′s hearts.

05 태산과 누운 풀

상주 여행 중에 우연히 들른 식당, 벽에 붙어있는 글이 눈에 들어왔다.

"태산 같은 자부심을 갖고, 누운 풀처럼 자신을 낮추어라."

밥 먹다가 우연히 본 글귀가 내 마음을 확 사로잡았다.

아 멋진 말이다! 태산 같은 자부심!

그런데 과연 내 안에 태산과 누운 풀이 동시에 존재할 수 있을까
나에게 크나큰 자부심이 있더라도 누운 풀처럼 스스로를 낮출 수 있을까
내가 초라하더라도 태산과 같은 자부심을 가질 수 있을까

집에 오는 길, 여러 생각에 잠기었다.

예전엔 태산처럼 큰 자부심이 있었다.
누가 뭐라 해도 세상을 한 번 크게 호령하고 싶은 그 결기.

하지만 조금씩 좌절에 길들여지다 보면
어느새 태산은 사라지고 한 조각 허상만 남는다.

그 허상 속에서 나를 일으켜 세우려 했던 수많은 나날들..

이제는 오히려 누운 풀의 소중함을 배운다.

풀밭에 누워 파란 하늘을 우러르는 아이처럼..

06 적응력이 필요해

적응한다고 하는 것은 참 놀라운 일이다.

세계적인 고고학자들과 과학자들이 맘모스를 찾아 시베리아를 방문했다.

동토에서 얼어붙은 맘모스의 사체를 찾다가 한 청년과 인터뷰를 하였다.

그런데 그 청년은 영하 30도에도 반 팔 차림으로 서서 인터뷰를 하였다.

방한복과 두터운 모자와 장갑으로 중무장한 사람들 사이에서, 태연하게 반 팔 차림으로 맘모스에 대하여 이야기하는 그 아우라가 차가운 설원에 더욱 반짝거렸다.

필리핀에는 육지에서 먼 해상에 나무로 집을 짓고 사는 부족이 있다.

어느 날, 집 짓기에 필요한 나무를 구하기 위하여 사람들이 배를 타고 육지로 향하였다. 그리고 육지에 내리자 마자, 모두 앞다투어 나무를 자르고 베기 시작하였다.

그런데 얼마 안 되어 모두들 도망치듯 나무 가지들을 들고 배를 향하여 뛰기 시작했다.

모두 멀미가 나서 도저히 견딜 수가 없었던 것이다.
육지에서 멀미를 겪다니..이게 웬일인가?

그들에게는 매서운 파도의 흔들림이 오히려 일상이었다.

07 밥이 없어서 별을 먹었다

카자흐스탄에는 우리 고려인들이 많이 살고 있다고 한다.
나라를 잃고 살 길을 찾아 만주와 연해주까지 갔지만,
그곳에서 다시 강제로 카자흐스탄까지 이주해야 했던
고난의 시대, 우리 선조들이었다.

그들은 그 곳에서도 아리랑 선율을 잊지 않고
슬플 때나 기쁠 때나 스스로 가사를 지어 불렀다.

고려인들이 아리랑 노래를 회상하는 가사 중에,
밥이 없어서 별을 먹었다는 구절이 나온다.
가난한 시절, 꿈으로 일군 삶의 정신이 느껴진다.

밥이 없어 저녁을 굶고 밖에 나가 보니,
하늘에서 영롱한 별빛이 비처럼 쏟아져 내리고 있었다.
그리고 그 영롱한 별빛들을 보면서 그들은 꿈을 꾸었고
결국 척박한 땅을 꿈의 대지로 바꾸어 놓았다.

꿈은 내면의 빛이다.
그리고 나는 하늘에 투영된 나의 빛을 본다.
내가 스스로 멈추지 않는 한,
그 빛은 나에게서 영영히 살아있다.

There was no rice, so I ate stars

It is said that many Koreans live in Kazakhstan.
After losing their country, they went all the way to Manchuria and the Maritime Province in search of a way to survive.
From there, they were forced to move to Kazakhstan.
It was our ancestors who lived in a time of hardship.

They did not forget the Arirang melody there either.
Whether they were sad or happy, they made up their own lyrics and sang them.
Among the lyrics that Koryo people recall from the Arirang song,
There is a passage about how they ate stars because they had no food.
I can feel the spirit of a life built on dreams during poor times.

There was no food, so they skipped dinner and went out.
Brilliant starlights were pouring down from the sky like rain.
And as they looked at the bright starlights, they dreamed.
In the end, the barren land was transformed into the land of dreams.

Dream is inner light.
And I see my light projected in the sky.
Unless I stop myself,
that light lives forever in me.

08 맞서니 더 이상 두렵지 않았다

자무카가 테무진에게,
"모든 몽골인은 번개를 두려워하는데 자네는 왜 두려워하지 않는가?"

테무진이 자무카에게,
"나에게는 숨을 곳이 없었다. 맞서니 더 이상 두렵지 않았다."

자무카와 테무진은 친구 사이였지만
몽골의 칸이 되기 위한 싸움에서 테무진이 승리하였다.

몽골의 너른 초원에서의 번개는 엄청난 공포였고
용맹스러운 전사들도 번개를 무서워하여 숨기에 바빴다.

하지만 테무진은 번개가 치는 상황에서도
용감하게 싸워 승리를 이끌어 내었다.

그는 어린 시절, 아버지를 잃고 초원으로 쫓겨나
모든 비바람을 맞으며 자라났다.

그에게는 더 이상 피할 곳이 없었고
그는 두려움 없는 전사로 성장하였다.

거대 제국을 이끈 그의 힘의 원천은
매섭게 휘몰아쳤던 번개와 비바람이었다.

09 누군가에게는

교향곡은 원래 오페라 연주가 있기 전, 장내 소란에 질서를 잡기 위한 음악이었다고 한다. 그래서 모든 악기가 총동원 되고 크고 웅장하게 연주가 되었다.

이렇게 처음 주의를 집중시키기 위하여 시작된 교향곡은, 이후 작곡가들에 의하여 주제를 가진 최고의 음악이 되기에 이른다.

우리가 너무도 잘 아는 베토벤은 인류 최고의 교향곡들을 작곡하였다. 1 번부터 9 번까지 그의 작품은 전세계인의 가슴을 녹이고 있다.

그런데 이 위대한 작곡가가 30 세가 되면서 청력에 이상이 생겨 방황하다가 그만 유서를 쓰고 자살을 결심하였다.

하지만 그렇게 끝날 수는 없었다. 다시 삶의 의미를 자각하고 자신의 예술혼에 불을 지폈다. 그리고 인류 최고의 작품들을 만들어 내었다.

교향곡 9 번 합창은 완전히 청력이 사라진 뒤에 작곡이 되었고 마지막 삶의 환희를 노래한 곡이다.

"환희의 송가"

듣지 못하는 사람이 최고의 아름다운 선율을 만들어낸 것이다.

그가 가진 고통과 시련의 시간은 인류에게 삶의 환희를 선물하는 시간이었다.

누군가에게는 시련이 곧 미래를 잉태하는 시간이다.

For Someone

It is said that the symphony was originally music to bring order to the commotion in the hall before an opera performance. So all the instruments were mobilized and played loudly and magnificently.

The symphony, which was first started to focus attention, was later developed by composers into themes. It ends up becoming the best music.

Beethoven, whom we know so well, composed the best symphonies of mankind. His works from Symphony No.1 to 9 are melting the hearts of people all over the world.

However, when this great composer turned 30, his hearing began to fail and he wandered, so he decided to write a will and commit suicide. But he couldn′t end like that.

He again realized the meaning of his life and ignited his artistic soul. And he created some of the best works of mankind. Symphony No. 9 Chorus was composed after he had completely lost his hearing, and is a song about the final joy of life.

″Ode to Joy″

A person who cannot hear has created the most beautiful melody. The time of pain and trials he had was a time to gift the joy of life to humanity.

For someone, trials are a time to conceive the future.

10 통치자의 등급

중국의 고대 성현 중의 한 사람인 한비자는
통치자의 등급을 셋으로 나누었다.

첫째, 하등은 자신의 힘만 의지하는 통치자

둘째, 중등은 다른 사람의 힘을 의지하는 통치자

셋째, 상등은 다른 사람의 지혜를 의지하는 통지차이다.

우리는 자신의 힘만을 믿고
자만심에 휩싸인 통치자들을 수없이 보아왔다.

그리고 자신들의 말을 앞세우고
좀처럼 다른 사람의 말을 들으려 하지 않는 통치자들을 보아왔다.

통치자는 듣는 사람이다.
말보다 듣기를 즐겨 해야 한다.
그래야 지혜를 얻을 수 있다.

지혜는 마치 우물 같아서,
들음을 통하여 지혜의 물을 퍼올려야 한다.

11 새의 추락에는

새들이 커다란 나무와 나무 사이를 이동할 때,
먼저 땅 가까이 내려갔다가 다시 올라온다.

가장 효율적으로 힘을 들이지 않고
중력과 가속도와 공기저항을 받아
이동하는 것이다.

한 마리 새의 비상에
물리학의 원리가 다 들어가있다.

새의 추락에는 날아오르려는 비상의 의지가 숨어있다.

신은 당신의 추락에 이미 당신의 비상의 의지를 숨겨놓았다.

당신의 추락은 새로운 비상을 위한 도전이다.

12 성공의 기준

돈을 많이 벌거나 유명해 질 때
우리는 성공했다고 말한다.

그것이 왜 성공일까?
편안하게 보이니까, 영향력이 생기니까..
성공한 인생은 물질적으로 편안하고
다른 사람이 우러러 볼 수 있는 사람이 되는 것..
왜 그것이 그토록 어려운 걸까?

나는 성공의 또 다른 기준이 있다.
그것은 바로 각자가 추구하는 것,
열망하는 무엇인가를 위하여
노력할 수 있는 인생..

사람마다 삶에 대한 인식도 다르고
삶의 방식이 다르고
삶의 출발점도 다르다.

내가 원하는 가치를 추구할 수 있을 정도의 형편과
더 나은 미래를 위한 도전의 열망이 있다면
그것으로 성공한 인생이 아닐까?

성공이 결과에만 존재하는 것은 아니다.
성공이란 지금 걸어가는 나의 길 위에 존재하는 현실이 아닐까?

13 완성되기 전까지는 항상 불가능하게 보인다

It always seems impossible until it′s done.

넬슨 만델라의 말이다.

그렇다.
완성되기 전까지 모든 것은 불가능의 영역이었다.

누군가 완성하기 전까지는 모든 것이 불가능한 일이다.

Before someone does it, everything is impossible.

하지만 그 일이 완성되는 순간,
불가능은 순식간에 사라져 버린다.

마치 빛의 순간에 어두움이 사라지듯이..

지금 불가능하다는 것은
언젠가 누군가는 할 수 있다는 의미이다.

그 누군가는 바로 나 또는 당신일 수 있다.

14 Love Story

영화 러브 스토리의 명대사.

"Love means never having to say you're sorry."

"사랑은 미안하다고 말하는 것이 아니야."

사랑은 자책과 후회, 동정심이 아니야.
내가 너가 되는 것이니까.

사랑은 스며드는 것.
때로는 잔잔히, 때로는 강력하게..

서로에게 스며들어 서로의 부분이 되고 서로의 전부가 된다.

Love is permeating.

It is to permeate each other, sometimes quietly, sometimes strongly, become part of each other, and become each other's everything.

15 신념이 삶을 지배하게 하라!

메디치 가문은 중세시대에 르네쌍스가 시작될 수 있도록,
지원과 격려를 아끼지 않았던 피렌체의 지도자였다.

메디치에 대한 회고 중에서.

"그는 하늘이 주신 선물에 대하여
 탐욕(greed)으로 움직이지 않았고
 신념(conviction)으로 움직였다."

그의 신념은 소수가 부를 축적하는 것이 아니라,
다수를 위하여 부요함이 사용되어야 한다는 것이다.

그 힘은 강한 자를 풍요롭게 하는 것이 아니고
약한 자를 일으키는 것이다.

지도자는 신념의 사람이다.

탐욕보다 신념이 삶을 지배하게 하라!

16 여행자의 시각

[잃어버린 시간을 찾아서]의 저자인 마르셀 프루스트는 여행에 대하여 이렇게 말하였다.

"여행은 새로운 풍경을 보는 것이 아니라,
새로운 눈을 가지는 것이다."

그렇다.
여행은 새로운 경험을 통하여
새로운 시야를 나의 인생에 드리우는 것이다.

그리고 기억과 회상을 통하여 나를 가꾸어 가는 것이다.

여행을 통하여 새로운 풍경을 담는 것보다,
새로운 시야와 감각을 당신의 심상에 담으라.

보이는 것보다 심상에 간직한 시야는
당신의 생각의 지평을 열어 줄 것이며,
당신의 일상에 특별함을 선물할 것이다.

그래서 여행은 휴식인 동시에 희망이다.

Traveler's point of view

Marcel Proust, author of [In Search of Lost Time], said of travel:

"The real voyage of discovery consists not in seeking new landscapes, but in having new eyes."

Yes.
Travel, through new experiences, gives me a new perspective on my life.

And it will cultivate me through memories and reminiscences.

Rather than capturing new landscapes through travel,
bring new perspectives and sensations into your mind.

The new image in your mind rather than landscapes,
will open the horizons of your thoughts,
and it will present something special to your daily life.

So, travel is both relaxation and hope.

17 평범을 비범으로 바꾸는 힘

젊은 시절, 아침 이슬을 불러 국민가수가 된 양희은님은
아무것도 없는 게 가장 큰 재산이었다고
지난 날을 회상했다.

왜 아무것도 없이 가난한 것이 큰 재산 이었을까?

그것은 가난함이 그녀에게 큰 열정을 불러 일으켰고
그 열정이 그녀를 당대 최고의 가수로
이끌었기 때문이었을 것이다.

소유가 없는 것이 오히려 열정을 일으킨다.

소유는 우리를 편안하게도 하지만
때로는 우리를 평범함에 가두어 버릴 수도 있다.

열정은 가난 속에서도 오히려 강력한 힘을 북돋는다.

그 열정의 힘이 모든 것을 극복하게 한다.

평범을 비범으로 바꾸는 힘이 바로 열정이다.

Yang Hee-Eun, who became a national singer with Morning Dew in her youth, said that having nothing was the greatest asset.

Why was being poor without anything a great wealth?

It was her poverty that aroused great enthusiasm in her mind.
And that passion made her the best singer of her time.

The lack of possessions inspires passion.

Possession makes us comfortable
but sometimes it can lock us up in mediocrity.

Enthusiasm is rather powerful in the midst of poverty.

The power of passion overcomes everything.

Passion is the power that transforms the ordinary into the extraordinary.

18 거절은 또 다른 초청장

세일즈맨으로 살아간다는 것은
항상 냉대와 거절이라는 아픔을 짊어져야 하는 일이다.

누군가에게 상품을 소개하고
그것을 구매하도록 설득하는 일은
대단한 용기를 필요로 한다.

왜냐하면 사람들은 그만큼
다른 사람들로부터 오는 냉대와 거부에 대하여 익숙하지 않기 때문이다.

그런데 한편으로 생각해보면,
타인의 냉소적 행동과 거절을 기꺼이 감수할 수만 있다면,
세일즈는 의외로 쉽게 풀릴 수 있다.

최고의 세일즈맨들은 그들의 생각을 이렇게 바꾸었다.

"거절은 더 좋은 상품으로 다시 오라는 초청장이다."

거절을 초청장으로 받아들이는 그 반전의 열의와 배포가
그들을 최고의 세일즈맨으로 만들었다.

고객들의 냉소적 반응과 거절에도
스스로 뒤로 숨지 않고
당당하게 자신의 세일즈를 펼친
그 여유로운 기상을 배워보자.

Living as a salesperson
is always a task to bear the pain of coldness and rejection.

Introducing a product to someone
and persuading the person to buy it
requires great courage.

It is because people are not used to the coldness and rejection from others.

But on the other hand,
if you are willing to accept the cynical behavior and rejection of others,
sales can be made surprisingly easy.

The best salespeople have changed their minds this way.

″Rejection is an invitation to come back with a better product.″

The enthusiasm and guts of accepting rejection as an invitation letter,
made them the best salespeople.

Despite the cynical reaction and rejection of customers,
they don′t hide themselves
but proudly conducted their sales.
Let′s learn that relaxed strong mind.

19 꿈이 강력할수록

꿈이 강력할수록 나의 미래는 현실이 된다

나는 오늘을 살고 있지만,
미래의 꿈이 현실 속에 움트고 있기 때문이다.

꿈이 강력할수록 나는 더욱 도전하게 된다.

그것은 지금 강렬한 꿈의 대지에 서있기 때문이다.

꿈이 구체적이고 가치가 있을수록 나는 더욱 용기를 가지게 된다.

그것은 용기 있는 자만이 꿈을 성취할 수 있기 때문이다.

오늘도 강력한 꿈을 통하여 나만의 소중한 이야기를 만들어간다.

그 스토리에는 꿈과 희망, 좌절과 분노,
열정과 사색, 모험과 도전이 있고
성취와 실패, 비애와 환희가 존재한다.

그 스토리에는 나의 고뇌가 담겨있고 성장하려는 의지와 결단이 담겨있다.

그리고 가장 중요한 것은 그 이야기의 주인공은 바로 나라는 것!

20 사랑이 요구하는 한 가지

어디에선가 들은 말이 생각이 나네요.

"One thing that love requires
is to let others know they're not alone.'

"사랑이 요구하는 한가지는
사람들이 혼자가 아니라는 것을 알게 하는 것이다."

우리는 혼자가 아니고
함께 이 세상을 살아가는 존재들입니다.

끝이 없이 광활한 우주에서
한 시대, 하나의 별에서 함께 살아가는 모든 분들에게 전하고 싶은 말,

사랑하고 존경합니다~

21 동력이 없으면 표류한다

미국에서 살 때, 지인 중에 한 분이
오랫동안 원양어선의 선장을 하신 분이 계셨어요.

보통 그분과의 대화는 바다로 시작해서 바다로 끝납니다.

주로 하시는 말씀은 바다에서 큰 어려움을 당했을 때의 체험담이었죠.

베테랑 선장님이 늘 강조하시는 이야기는
망망대해에서 큰 폭풍우를 만났을 때,
중요한 것은 동력이다.

커다란 배도 거뜬히 집어삼킬 수 있는
엄청난 파도가 일어났을 때,
동력이 살아있으면 파도와 맞서 나아갈 수가 있다.

하지만 동력이 없으면 표류한다.

동력이 없으면 커다란 파도와 맞설 수 없고
파도에 쓸려 표류하다가 결국 침몰하게 된다는 것입니다.

우리에게 삶의 동력은 무엇일까요?

거대한 파도가 밀려올 때, 우리는 무엇으로 맞설 수 있을까요?

When I was living in the United States,
one of my acquaintances had been
the captain of a huge ocean fishing ship for a long time.

Usually a conversation with him
begins with the sea and ends with the sea.

Most of the things he talked about were experiences he had
when he faced great difficulties at sea.

What the veteran captain always emphasized
was the importance of power
when you meet a big storm in the open sea.

Even when a great wave arises that can swallow a large boat,
if the engine power is alive,
it can move forward against the waves.

But if there is no power, it drifts.

Without power, it cannot face the big waves.
It is washed away by the waves
and drifts, eventually sinks.

What is the driving force of our lives?

What can we do when a huge wave comes towards us?

22 성장은 실수하지 않는 날 멈춘다

얼마 전, 신문에서 미국 현역 미슐랭 셰프인 데이비드 장의 인터뷰를 보았다.

"성장은 실수하지 않는 날 멈춘다.
실수에서 배우지 않는 게
셰프가 저지르는 유일한 실수이다."

내가 실수한다는 것은 역으로 성장하고 있다는 것이다.

실수 없이 어떻게 명인의 반열에 들 수 있다는 말인가?

그러므로 인생에 있어서 실수를 두려워하지 말자.

실수를 통하여 나와 나의 삶이 성장한다.

실수를 통해서 배우고, 실수를 통하여 나를 한걸음 성장시키는 것이다.

결국 실수에서 배우지 않는 것이 우리의 가장 큰 실수가 아닐까?

Not long ago, I saw an interview with David Chang, an active American Michelin chef, in a newspaper.

"Growth stops on the day I make no mistakes.
Not learning from mistakes,
it's the only mistake a chef makes."

The mistake I make is that I am growing in reverse.

How can I get into the ranks of masters without making mistakes?

So let's not be afraid to make mistakes in life.

I and my life grow through mistakes.

It's learning from mistakes and making me grow step by step through mistakes.

After all, isn't it our biggest mistake not to learn from our mistakes?

23 존재의 목적론적 서술

존재는 인식작용에 의하여 존재한다.

인식하고자 하는 욕망은 존재의 목적에서 나온다.

목이 마른 사람 옆에 물이 있고

사람이, 그 물이 갈증을 풀어줄 것으로 인식하고
그 물을 마심으로써 비로소 물은 존재하게 되는 것이다.

목이 마른 사람이 그 물을 마시지 않으면
그 물은 목적론적으로 존재하지 않는 것이다.

의미론적으로 목적 없이 존재하는 것은 존재하지 않는 것과 같다.

존재를 인식하지 않으면 그것은 존재하지 않는 것이다.

목적이 존재를 증명한다.

우리는 무엇으로 살며,
어떤 목적으로 살아가고 있는가?

Teleological description of existence

Existence exists through cognition.

The desire to recognize comes from the purpose of existence.

There is water next to the thirsty man.

The man perceives that the water will quench his thirst.

It is only by drinking the water comes into existence.

If a thirsty man does not drink the water,
the water does not exist teleologically.

To exist without purpose does not exist semantically.

If you don′t recognize its existence, it doesn′t exist.

Purpose proves existence.

What do we live by and what purpose are we living for?

24 유연함이 천하를 지배한다

사람들은 강한 것에 길들여져 있다.

강한 것에 의존하고 강한 것에 굴복한다.

강해야 살아남고 강해야 이긴다고 생각한다.

하지만 강함은 유연함을 절대로 이기지 못한다.

유연함은 약함이 아니다. 유연함은 지혜이다.

모든 강력함이 무너지는 세상을 보는 눈이다.

유연함은 강함과 부딪히지 않는다.

유연함은 강함을 감싸 안는다.

강력한 도전을 우회시키고 정당하지 못한 시도를 부드럽게 꺾어버린다.

유연함은 거침이 없다. 유연함은 막힘도 없다.

유연함은 속박을 벗어나 자유의 대지로 흐르는 물줄기이다.

유연함을 가지라.

유연함이 천하를 지배한다.

25 도전의 상상

삶이 어려워질수록 도전의 상상을 하라.

우리가 사는 동안,
왜 이렇게 장애물이 생기는지,
왜 이렇게 힘든 상황들이 이어지는지,
궁금할 것이다.

세상에는 때때로 원인을 알 수 없는 결과도 존재한다.

이런 상황에서는 많은 한탄과 걱정이 앞설 수 있다.

하지만 도전을 끊임없이 상상할 수 있으면
우울감도 사라지고 용기도 충전된다.

우리가 걸어가는 인생의 길이란 어차피 도전자의 길이다.

도전할 수 있다는 것이 축복임을 명심하자.

먼저 도전자가 되어야 챔피언이 될 수 있다.

Imagination of Challenge

As life gets harder, imagine a challenge.

While we live,
Why are there such obstacles?
Why do these difficult situations continue?
We wonder.

In the world, sometimes there are consequences for which the cause is unknown.

In this situation, many lamentations and worries can prevail.

But if you can constantly imagine the challenge,
depression disappears and courage is recharged.

The path of life we walk is the path of a challenger anyway.

Keep in mind that being able to take on a challenge is a blessing.

To become a champion, you must first become a challenger.

26 서면 그냥 땅이나 걸으면 길이 된다

이성계가 사냥을 하고 있던 중, 날쌔고 성실한 사냥몰이꾼을 만났다.

비범한 그의 모습을 보고 태연하게 한마디를 한다.

"서면 그냥 땅이나 걸으면 길이 된다. 길을 내 보아라." - 드라마에서

길은 많은 사람들이 걸으면서 만들어지는 것이다.

걷고 또 걷고 반복되게 걸으면 어느새 길이 생긴다.

걸어가다 보면 길이 생기고 뜻을 이룰 때가 온다.

우리의 삶의 길도 마찬가지이다.

도무지 길이 보이지 않을 때,
우리는 좌절하고 그 자리에 주저 앉는다.

하지만 이 때, 자신을 일으켜 묵묵히 걸어가야 한다.

길은 의지의 화신이다.

서면 그냥 땅이나 걸으면 길이 된다.

While Lee Seong-Gye was hunting, he met a sharp and sincere prey driver.

Seeing his extraordinary appearance, he calmly said a word.

"If you stand, it's just ground. If you walk, it becomes a road.
Make a way." - from a drama

A road is made by many people walking.

If you walk and walk repeatedly, you will find a path.

He was a low prey driver, but it's about having a big will and walking proudly.

As you walk, you will find a way and the time will come when you will achieve your goal.

The same is true of our way of life.

When we don't see a way at all, we get frustrated and sit down on the ground.

But at this time, you have to get yourself up and walk silently.

The road is the embodiment of the will.

27 금문교의 추억

처음 미국 샌프란시스코에 도착해서 설레는 마음으로 금문교를 보러 갔다.

바다 사이, 높은 바위언덕을 연결한 금문교의 모습이 안개에 싸여 장관을 연출하고 있었다.

그런데 갑자기 찬 바다 바람이 불어 닥쳤고 사람들은 저마다 추위에 떨며 차 안으로 몸을 숨겼다.

하지만 나는 그 차가운 바람이 나의 심장 속으로 파고드는 것을 느끼며 그 자리에 서 있을 수 밖에 없었다.

차가운 바람은 나의 심장을 돌아 나의 정신을 깨우고 나를 새롭게 하였다.

우뚝 솟은 금문교 앞에서 일렁이는 파도와 함께 나의 꿈을 높이 바람에 실었다.

젊은 그대여, 세찬 바람이 불거든 그대의 꿈을 높이 날려 세상을 위로하라.

Memories of the Golden Gate Bridge

When I first arrived in San Francisco, USA, I went to see the Golden Gate Bridge with excitement.

The image of the Golden Gate Bridge connecting the high rocky hills between the seas was covered in mist, creating a spectacular scene.

But suddenly a cold sea breeze blew, and everyone shivered from the cold and hid in their cars.

But I felt the cold wind blow through my heart.
I had no choice but to stand there.

The cold wind circulated my heart and awakened my spirit and renewed me.

In front of the towering Golden Gate Bridge, I carried my dreams high in the wind with the swaying waves.

Young friend, when a strong wind blows, blow your dreams high and comfort the world.

28 자유는 거룩하다

우리는 자유하기 위하여 태어났다.

자유의 추구는 인간성의 상징이다.

자유는 거룩하다.

이 선언을 당신의 영혼에 새기라.

창조주는 태초에 자유를 창조하였고
최초의 인간은 신의 자유를 입었다.

그리고 신은 인간의 자유를 위하여 희생했다.

그의 진리는 자유를 소생시킨다.

내가 어떻게 살고, 어떻게 일하고, 어떻게 누리는지는
내가 자유한가에 달려있다.

삶을 말하기 전에
자유를 물어야 한다.

자유한가 아닌가?
그것이 문제이다.

Declaration of freedom

We were born to be free.

The pursuit of freedom is a symbol of humanity.

Freedom is holy.

Engrave this declaration on your soul.

The Creator created freedom in the beginning.

The first man was given divine freedom.

And God sacrificed for human freedom.

His truth revives freedom.

How I live, how I work, how I enjoy,
they all depend on if I′m free.

Before talking about life,
first ask for freedom.

To be free or not to be free,
That is the question.

29 내 사랑을 느낄 수 있게

노벨 문학상을 받은 밥 딜런이 지은 "Make you feel my love" 라는 곡을 우리의 감성에 맞게 개사를 하여 보았습니다.

당신의 얼굴 위로 차가운 빗줄기가 흘러내릴 때
온 세상의 고통이 당신의 얼굴에 그림자를 드리울 때
나는 당신을 따뜻하게 안아줄게요
당신이 내 사랑을 느낄 수 있게

밤이 되어 깊은 어두움이 당신을 사로잡을 때
그리고 당신의 눈물을 닦아줄 그 아무것도 보이지 않을 때
나는 당신을 백만 년 동안이라도 안아줄게요
당신이 내 사랑을 느낄 수 있게

나는 당신을 처음 만났을 때부터 알고 있었어요
당신이 내 마음에 항상 존재한다는 것을

나는 때때로 굶주리고
때때로 힘겨워서 괴로워하고
때때로 길 한가운데를 기어가듯이 초라해질 수 있지만
그래도 내가 못할 일은 없을 거에요
당신이 내 사랑을 느낄 수 있게

거센 바다 위의 성난 폭풍우처럼
고속도로를 질주하듯 엄청난 후회가 밀려와도
나는 세상 끝까지 당신을 위하여 달려 갈 거에요.

나는 당신을 행복하게 할 수 있고
나는 당신의 꿈을 이룰 수 있어요
이 세상에 내가 할 수 없는 일이란 존재하지 않아요

당신이 내 곁에 있다면
나는 더 이상 방황할 수 없고
상실의 비통함으로 더 이상 앉아있을 수 없어요

나는 수천만 년 동안 당신을 안고 뛰어오를 수 있어요
세상의 모든 공기를 내 가슴에 머금고
당신을 위하여 끝없는 노래를 부를 수 있어요
당신이 내 사랑을 느낄 수 있게

30 바닷가 별장

우리 가족이 미국 실리콘밸리에 살 때부터, 가는 곳마다 큰 별장을
만들었습니다.

바닷가 모래 위에도 근사한 별장을 지었죠.

사람들이 바닷가에서 곧 허물어질 별장을 왜 만드느냐고 할 수도 있지만,
우리 별장은 절대 허물어지지도 없어지지도 않습니다.

그 곳에서 우리 아이들은 신나게 이리저리 뛰어다니고
우리 부부는 멋진 석양을 감상하곤 했지요.

때때로 물이 차도 상관없습니다.

물은 곧 빠지고 우리의 별장은 늘 한결같이 그 모습 그대로 우리를
맞아줍니다.

우리 가족은 이렇게 때때로 바닷가 별장을 찾습니다.

친구들을 초대하기도 하고, 멋진 뷰를 감상하며 식사를 즐기기도 합니다.

정말 바닷가 별장은 우리에게 휴식과 평안함을 선물합니다.

우리의 지붕 없는 별장은 이렇게 언제나 우리 곁에 있습니다.

Beach Villa

Ever since we lived in Silicon Valley, USA, we have built large villas wherever we go.

I built a nice villa on the sand of the beach.

People would say, "Why are you building a villa on the beach that will soon be demolished?"
But our villa was never torn down or destroyed.

That's where our kids run around happily.
My wife and I used to watch the beautiful sunsets.

Sometimes it doesn't matter if the water is full.

The water goes out soon, and our villa always welcomes us as it is.

My family visited this beach villa from time to time.

I invited my friends and had a meal while enjoying the wonderful view.

Truly seaside villas offer us relaxation and serenity.

Our roofless villas are always with us like this.

31 꿈은 쓰러지지 않는다

제가 2008년, 중국의 베이징 올림픽이 열릴 때, 바로 그 현장인 베이징에 있었습니다. 정말 화려하고 멋진 올림픽 개막식을 보고 있었는데, 갑자기 저의 눈에 스촨성의 지진이 오버랩 되는 것을 느꼈습니다.

바로 그 해, 중국의 스촨성에서 대지진이 발생하여 수십만 명이 죽거나 다치고 거의 모든 건물들이 파괴되었습니다. 정말 하루 아침에 수많은 아이들이 장애자가 되고 고아가 되었습니다.

저는 화려한 올림픽 개막식에 오버랩 된 참혹한 지진의 현장에 꿈을 심기로 다짐을 하였습니다. 비록 집도 무너지고 학교도 무너지고 모든 것이 무너졌지만, 꿈은 절대로 무너지지 않는다.

몽샹뿌타오! 꿈은 쓰러지지 않는다!

때때로 큰 사고와 위험이 우리의 삶을 삼킬 수 있고 무너뜨릴 수도 있습니다. 하지만 우리의 꿈은 절대로 쓰러뜨릴 수가 없죠. 우리는 다시 꿈을 꿀 수 있고 그 꿈을 향하여 도전할 수 있습니다.

꿈을 꾸는 것은 살아있다는 확신이며, 강력한 삶의 도전입니다. 그리고 그 꿈은 반드시 우리를 일으켜 세울 것입니다.

저는 스촨성을 다니며 고통의 현장을 목도하였지만, 새로운 꿈의 도전도 보았습니다.

우리 안에 꿈이 살아 있다면, 우리는 결단코 쓰러질 수 없습니다.

I was in Beijing, the site of the 2008 Beijing Olympics in China. I was watching a really gorgeous and wonderful Olympic opening ceremony, and suddenly I felt the earthquake in Sichuan overlaid in my eyes.

That same year, a great earthquake struck Sichuan, China, killing or injuring hundreds of thousands of people and destroying almost all buildings. Indeed, overnight, tens of thousands of young children became disabled and orphaned.

I made up my mind to plant a dream on the site of the devastating earthquake that overlapped the splendid Olympic opening ceremony. Even though the house collapsed, the school collapsed, and everything collapsed, the dream never collapses.

Dreams do not fall down!

Sometimes big accidents and dangers can swallow up and even destroy our lives. But our dreams can never be defeated.

We can dream again and challenge ourselves towards that dream. To dream is to be sure that you are alive. It is a powerful life challenge. And that dream will surely lift you up.

I visited Sichuan and witnessed the scene of suffering. I also saw the challenge of a new dream.

If dreams live within us, we will never fall.

32 또 다른 이름

크리스마스의 주인공인 아기 예수의 또 다른 이름이 있습니다. 그 이름은 임마누엘이라고 하는데요, 이 이름의 뜻은 함께한다는 의미입니다.
함께한다라는 것은 정말 소중한 삶의 가치이지요.

사실 우리는 매일 살아가는 일상에서 수많은 사람들의 일과 도움으로 살아갑니다. 식탁 위의 음식부터 옷가지들과 가구들, 스마트폰과 전자기기들, 우리가 사용하는 대부분의 것들은 이렇게 누군가의 손으로 만들어지고 있습니다. 함께 서로를 위한 필요를 만들고 나누면서 우리의 삶이 형성되는 것이지요.

때때로 이러한 과정에 빈부의 아픔이 수반되기도 하지만, 이것 역시 함께 살아가는 가치로 해결해야 하는 문제입니다. 우리가 함께한다는 가치를 우리의 삶에서 상실한다면, 그것은 바로 비극의 시작이며 희망의 사라짐입니다. 그런 의미에서 임마누엘의 이름은 귀중한 삶의 지표가 되지요.

예수는 당신의 이웃을 당신의 몸과 같이 사랑하라고 말씀했습니다.
이것이야말로 임마누엘의 최고의 실천이 됩니다.

함께 있어 기쁘고, 함께 있어 행복한 그 사랑을, 나와 가족을 넘어 이웃에게로 확장하는 것입니다. 이것은 신념의 확장이며 생명의 확장입니다.

그의 사랑의 교훈과 실천은 바로 우리와 영원히 함께 합니다.

메리 크리스마스!
크리스마스의 사랑과 평화가 당신에게 함께 하시기를~

Another name

There is another name for Baby Jesus, the protagonist of Christmas. His name is Emmanuel, which means together. Being together is a very precious value of life.

In fact, we live with the work and help of countless people in our daily lives. From food on the table to clothes, and furniture, smartphones and electronic devices, most of the things we use are made by someone else´s hands. Our lives are shaped by creating and sharing needs for each other.

Sometimes this process is accompanied by the pain of the poor, but this is also a problem that must be solved with the value of living together. If we lose the value of being together in our lives, it is the beginning of tragedy and the disappearance of hope. In that sense, Immanuel´s name is a valuable indicator of life.

Jesus said that love your neighbor as yourself. This is the best practice of Immanuel. It is to extend that love which is joyful to be together and happy to be with, beyond me and my family, to my neighbors.

This is an extension of belief, and an extension of life.

His lessons and practices of love are with us forever.

33 상실의 시대를 이기는 삶

"상실, 그것은 때때로 우리 삶의 전부를 휩쓸어 버린다.
하지만 그것이 우리 자신을 스스로 파괴하는 이유가 될 수는 없다."

(영화 Wyatt Earp 에서)

많은 사람들은 이별과 헤어짐, 상실을 경험하면서
무기력해지고 삶을 비관한다.

그래서 때로는 자신을 망가뜨려 버리려는 충동을 얻기도 한다.

하지만 중요한 것은 그러한 상실이 있다 해도
그것이 나 자신을 스스로 파괴하는 정당성을 가질 수는 없다는 것이다.

상실의 시대에 우리는 기필코 삶의 가치를 붙들어야 한다.

나의 삶은 나만의 것이 아닌, 존재와 존재가 함께하는 의지와 경애의 대상이다.

스스로를 가볍게 여기지 말자.

나는 소중한 신의 창조물이다.

″That′s what life is all about.
Loss.
But we don′t use it as an excuse to destroy ourselves.″
(from the movie, Wyatt Earp)

Many people experience separation, parting and loss
become lethargic and pessimistic about life.

So, sometimes they get the urge to destroy themselves.

But the important thing is that even with such loss
there is no justification for self-destruction.

In the time of loss, we must hold on to the value of life.

My life is not my own, but an object of will and respect for being together.

Don′t treat yourself lightly.

You are a precious creation of God.

34 시간에 관한 생각

시간만큼 정당하고 정확한 것이 없습니다.
모든 사람에게 똑같은 시간이 주어집니다.
아무도 마음대로 시간을 늘이거나 줄일 수 없습니다.
시간은 항상 일정하고 동일하게 흘러갑니다.

하지만 이 시간을 어떻게 맞이하는가에 따라
우리의 삶의 태도와 방향과 결과가 달라질 수 있습니다.
시간의 흐름이란 우리의 존재와 끊을 수 없습니다.
우리는 항상 시간 안에 있고 시간은 우리를 인도합니다.
우리는 시간을 통하여 삶을 점검하고 새로운 계획을 이루어 갑니다.

이 세상의 모든 일도 시간 속에 존재합니다.
그리고 시간과 함께 많은 가치들을 만들어냅니다.
시간은 영속적인 과정들 속에서 모든 것을 새롭게 합니다.
시간의 과정은 단지 과거, 현재, 미래가 나열되는 것이 아니라,
우리가 가진 삶에 대한 반성과 회고와 희망과 계획으로 이어집니다.

반성에서 희망으로 나아가는 것이 시간의 과정입니다.
시간의 흐름 속에서 우리는 희망을 세우고
그 희망을 성취하기 위하여 나아갑니다.

우리는 유한한 시간 속에 살고 있지만,
시간 속에서 뜻을 세우고, 계획 속에서 살아가며 일합니다.
시간은 우리에게 반성의 기회를 주며, 또 다른 창조의 기회를
선물합니다.

시간은 존재를 치유하고 새롭게 하는 명약입니다.

내일도 또 하나의 하루일 수 있습니다.
다른 날과 똑같이 하루가 시작되고 하루가 저물 것입니다.

하지만 우리가 시간 속에서 부여한 의미는 엄청난 변화를 직감하게 합니다.

내일은 완전히 새로운 날이며, 희망으로 가득 찬 시간이 될 수 있습니다.
그래서 새 날은 새 마음을 갖게 하고 새로운 사람이 되게 합니다.

이것이 시간이 주는, 그리고 우리가 시간 속에 있는 의미입니다.

Thinking about time

There is nothing more just and accurate than time.
Everyone is given the same amount of time.
No one can increase or decrease time at will.
Time is always constant and flows the same.

But depending on how you deal with this time,
it can change the attitude, direction, and outcome of our lives.

The passage of time is inseparable from our existence.
We are always in time and time guides us.
We check our lives through time and make new plans.

Everything in this world exists in time.
And it creates a lot of value with time.
Time renews everything in perpetual processes.

The course of time is not just a list of past, present, and future;
These are reflections, recollections, hopes and plans for the life we have.

Moving from reflection to hope is a process of time.
In the passage of time, we build hope
and we are moving forward to fulfill that hope.

We live in a finite time.
We set our intentions in time,
and we live and work in our plans.

Time gives us an opportunity to reflect and present another opportunity for creation.
Time is the elixir that heals and renews existence.

Tomorrow could be just another day.
The day will start and end just like any other day.
But the value we are given in time makes us intuit a huge change.
Tomorrow is a whole new day,
and it can be a time full of hope.

A new day gives you a new heart and makes you a new person.
This is what time gives and what we are in time means.

35 비전으로 삶을 개간하라

제가 리더십 컨퍼런스나 세미나에서 사용하던 인생 모토입니다.

우리의 삶이 황무지가 되지 않기 위해서는 잘 개간을 하고 씨를 뿌려야 하겠지요.

먼저 땅을 고르고, 잡초를 뽑고, 좋은 땅으로 만들기 위한 수고를 해야 합니다.

그냥 거친 흙 위에 씨만 뿌려서는 좋은 결실을 맺기가 어렵죠.

땅을 개간하기 위해서는 필요한 기구들도 있습니다.

우리 인생의 땅을 개간하기 위해서는 비전이라는 도구가 필요합니다.

비전은 단순히 미래의 상상이 아니라, 오늘을 바꾸어가는 힘이 있습니다.

오늘의 현실을 미래의 꿈으로 바꾸어가는 것이 바로 비전인 것이죠.

우리의 삶과 시간 속에 함께 나누고 싶은 말,

비전으로 삶을 개간하라!

This is the life motto I use at leadership conferences and seminars.

In order for our life not to become a wasteland, we must cultivate it well and sow the seeds.

First, you have to clean the ground, pull out weeds, and work hard to make it a good land.

It is difficult to produce good results by just sowing seeds in rough soil.

There are also tools needed to clear the land.

To reclaim the land of our lives, we need a tool called vision.

A vision is not simply an imagination of the future, but has the power to change today.

The vision is to transform the reality of today into the dream of the future.

The words I want to share in our time and lives is

"Cultivate your life with a vision!"

36 상상력이 고갈되지 않도록

데카르트 전기 작가인 샤를르 아당이 이런 말을 남겼습니다.

"상상력은 부싯돌 속에 불꽃이 존재하듯,
모든 인간의 정신 속에 존재한다."

차갑고 단단한 돌멩이 속에 어떻게 뜨거운 불꽃이 존재할 수 있을까요?

차가운 돌멩이가 부딪히면 스파크가 일어나고, 그 스파크를 통하여
우리는 큰 불을 일으킬 수 있습니다.

우리의 정신도 이렇게 불꽃과 같은 상상력을 일으킬 수 있다는 것이죠.

상상력을 통하여 인류는 새로운 것을 시도하고 계속된 발전을 이어
왔습니다.

상상력이 고갈된 현실은 고정된 이성의 덫에 갇혀서, 더 이상 새로움을
시도하지 않는 것입니다.

우리의 정신 속에 들어있는 상상력이 고갈되지 않도록 우리는 무엇을
열망해야 할까요?

그것은 자유로운 사고의 추구와 편협한 가치관의 배제가 아닐까요?

Don´t let your imagination run out

Charles Adam, a Descartes biographer, put it this way:

"Imagination is like a spark in a flint.
It exists in every human mind."

How could a hot flame exist in a cold, hard rock?

When a cold boulder hits, a spark is generated, and through that spark we can start a great fire.

Our minds are capable of sparking imaginations like this.

Through imagination, mankind has continually tried new things and developed.

A reality depleted of imagination will no longer try anything new, trapped in the trap of fixed reason.

What should we aspire to so that the imagination in our minds is not exhausted?

Isn´t that the pursuit of free thinking and the exclusion of narrow views?

The free aspirations of the imagination grow us and usher in a new era.

37 멈춤, 또 다른 성장의 시작

운동선수는 고도의 집중력으로 경기를 하지만, 잠시 쉬면서 숨 고르기를 한다. 숨 고르기는 어쩌면 승리의 관건인지도 모른다. 체력안배는 스포츠 경기에 있어서 기본 중의 기본이다.

전반전에 펄펄 뛰던 축구선수가 후반전에서는 골골하는 모습을 우리는 수없이 보아왔다. 승부는 후반전이 끝나면서 결정된다.

내가 졌지만, 전반전에서는 이기고 있었기 때문에 내가 승자라고 하면 억지가 된다. 끝까지 숨 고르기와 체력안배를 통하여 승리를 가져와야 한다.

우리의 옛말에 이런 재미있는 표현이 있다.

"넘어진 김에 쉬어간다."

참 아픔을 승화하는 멋진 말이다.

넘어지면 아프지만, 그 아픔을 또 다른 시작의 출발선 위에 놓는다는 것이다. 출발은 쉬면서 하는 숨 고르기부터 시작된다. 그것이 결여되면 이미 승리의 절반은 날아간 셈이다.

우리의 인생도 가끔 띄어쓰기를 하는 것이 좋을 것 같다.

적절한 띄어쓰기를 통해서 멋진 글이 완성된다.

멈춤이 또 다른 성장의 시작이 될 수 있음을 기억하자.

38 인생을 바꾸는 책

책 한 권이 사람의 인생을 바꾼다는 말이 있지요?

그것이 바로 생각의 힘이고, 글의 영향력입니다.

어렸을 때 읽었던 동화책과 위인전은 아이들의 꿈꾸는 미래를 만들어 줍니다.

실패의 두려움에서 방황하던 청년은 책을 통하여 힘을 얻고 두려움을 극복해냅니다.

이렇게 좋은 글은 인생의 자양분이 됩니다.

좋은 글이 한 사람의 의지와 감성을 터치하면, 그 사람의 인생이 변화될 수 있지요.

글이란 정말 인류 최고의 발명품입니다.

문자를 만들고 글을 쓰면서 인류는 전혀 다른 진보의 역사를 이루어 왔습니다.

글과 함께 세상은 재창조되고 있는 것이죠.

글을 읽는다는 것은 나의 상상력을 깨우는 일입니다.

현실에 갇혀서 발현되지 못했던 나의 상상력이 책을 통하여 날개를 얻는 것입니다.

결국 글은 상상력의 발현을 통하여 나의 성장에 기여합니다.

하지만 오늘의 세대는 글을 잘 읽지 않습니다.

현란한 영상에 매료되고 중독되고 있기 때문이지요.

저는 그들에게 가끔 책으로 돌아가라고 말해주고 싶습니다.

그것은 책을 읽으면서, 상상을 통하여 스스로의 내면의 영상을 만들어낼 수 있기 때문입니다.

책으로 돌아가라는 말이 자칫 진부하게 들릴지 모르지만,
글이 주는 상상력과 인식의 가치를 잃지 않았으면 좋겠습니다.

오늘 따뜻한 차 한잔과 함께, 책꽂이에 꼽혀있는 책 하나를 손에 들어보세요.

잔잔한 감동과 희망들이 새록새록 피어날 거에요.

39 눈물로 씨앗을 심는 사람

이런 글이 생각이 납니다.

"눈물로 씨앗을 심는 사람은 기쁨의 노래로 거둘 것이다."

힘겨움과 고통 가운데에서도 눈물을 흘리며 씨를 심는 사람은

기쁨의 노래를 부르면서 추수할 수 있다는 말이지요.

씨를 심어야만 결실을 얻을 수 있습니다.

씨를 심지 않으면 절대로 결실을 얻을 수 없습니다.

씨를 심는 것 자체가 수고이며 고통이지만,

이를 참고 견디고 이겨내야만 기쁨으로 추숫단을 거둘 수 있습니다.

지금 씨앗을 심지 않으면 씨앗 안에 숨겨진 열매도 상실되고 맙니다.

"눈물로 밖으로 나가 씨앗을 옮기는 사람은

기쁨의 노래로 추수의 단을 옮길 것이다."

40 사랑에 잠긴 인생의 고난은 더 이상 아픔이 아니다

힘든 일을 하면서 고생은 되도 사랑하는 가족들을 생각하면 힘이 난다.

누군가를 사랑하고 누군가에게 사랑을 받고 있다는 것은
참으로 큰 위안이 된다.

우리들의 인생에 사랑이 없다면 얼마나 메마른 삶이 될까?

사랑으로 함께 하는 존재가 바로 인간이다.

나의 부모와 자녀들, 가족부터 친지들, 친구와 동료,
나아가 공동체의 일원으로서 사랑은 늘 우리와 함께 한다.

사랑은 우리에게 희망을 주고 아픔을 소멸시킨다.

고통스러운 것이 인간의 삶이라고 하지만,
사랑이 주는 위로와 행복은 인생의 고통을 저만치 밀어낸다.

사랑은 절망 속에서도 꽃을 피우고,
감옥에서도 자유를 꿈꾸게 한다.

사랑에 잠긴 인생의 고난은 더 이상 아픔이 아니다.

41 사색이 걸려있는 방

어디에선가 우연히 보았던 문구가 생각난다.

"그림이 걸려있는 방은 사색이 걸려있는 방이다."

그림과 사색, 생각에 대한 깊은 여운을 주는 말이다.

생각과 사고의 문을 연 사람,
소크라테스가 남긴 말.

너 자신을 알라는 것은,
너 자신이 아무것도 모른다는 것을 알라는 것이다.

고정된 사고에서 변화하는 혁신적 사고로의 전환을 의미한다.

하나의 사상과 사고에만 집착하면 이로써 편협한 사고를 가진 사람이 된다.

생각한다는 것은 마음의 지평을 넓히는 것이다.

차별하지 않고 배타적으로 분리하지 않고,
받아들이고 이해하고 감싸 안는 것이다.

사색은 마음의 깊이와 넓이를 만든다.

오늘은 마음에 그림을 걸어놓고 한동안 사색에 잠기었으면 좋겠다.

42 꽃은 흔들림 속에서 피고 진다

여리고 예쁜 꽃들도
바람 속에서 견디어야 한다.

때때로 세찬 바람에 가지가 부러져도,
꽃은 다시 피어나고 고운 자태를 드러낸다.

꽃의 존재는 우리에게 기쁨과 행복을 선물한다.

그렇게 여린 꽃은 흔들림에도, 상처에도
오롯이 자신의 빛깔과 향기를 발산한다.

감추일 수 없는 힘찬 생명력이 가냘픈 꽃잎 사이에서 움터 나온다.

꽃을 바라보면서 우리는 위안과 평안을 얻는다.

흔들림 속에서도 고매하게 서있는 그 꽃의 아름다움에 취한다.

그래서 꽃의 흔들림은 오히려 애처롭고 사랑스럽다.

우리 마음의 숨결도 꽃처럼 아름답게 피어나면 좋겠다.

흔들리면서 피어나는 꽃처럼,
흔들리면서 고운 자태를 드러내는,
흔들리면서 고운 향기를 발산하는,
바로 그 꽃처럼..

43 비움과 채움은 하나이다

욕심이 많으면 성공할 수는 있지만, 행복하기는 쉽지 않다. 행복이란 만족감이다. 자족을 통하여 얻는 기쁨이다.

욕심은 일상에서 누려야 할 만족감을 저만치 밀어버린다. 일상의 소소한 행복들을 앗아가 버린다. 늘 배가 고프게 만들고 늘 무언가에 허기지게 만든다.

행복은 욕심과는 반비례 하는 것 같다.

욕심에 차서 일을 하다 보면, 경쟁 속에서 서서히 메말라가는 자신을 발견하게 된다. 거의 성공의 문턱에 와 있는 것 같지만, 실상은 건강도 잃고 사람도 잃는다.

그리고 소중한 시간도 잃고 자신의 삶의 가치도 잃는다.

욕심으로 많은 것을 소유하려 하지만, 오히려 더 많은 것을 잃고 있는 것은 아닐까?

마음을 비운다는 것은, 결국 욕심으로 잃어버린 소중한 것들을 다시 채운다는 의미이다.

그래서 비움과 채움은 하나이다.

우리의 일상에서 조금 욕심을 덜어내면, 조금 행복이 다가 오지 않을까?

Emptying and filling are one

If you are greedy, you can succeed, but it is not easy to be happy. Happiness is satisfaction. It is the joy that comes from being self-sufficient.

However, greed overwhelms the satisfaction we should have in our daily lives. It takes away the little joys of everyday life. It always makes you hungry for something.

Happiness seems to be inversely proportional to greed.

If we work with greed, in the midst of competition, we find ourselves slowly fading away.

It seems that we are almost on the threshold of success. But in reality, health is lost and people are also lost. And we lose our precious time and lose the value of our lives.

We try to possess many things with greed, but we are losing more.

To empty our mind means to replenish the precious things lost through greed.

Emptying and filling are one.

Wouldn′t happiness come a little closer to us if we relieved our greed a little in our daily life?

44 하나됨의 의미

산은 물이 있어 푸르름을 자랑하고
물은 산이 있어 강이 되어 흘러간다.

만물에는 이치가 있고 존재의 의미가 있다.

만물에는 형상이 있고 그 형상은 근원적으로 서로 하나이며 이로써 막힘이 없다.

둘은 하나로서 그 존재가 완성된다.

다름과 차별이 이어지는 세상에서,
만물은 하나로 모두가 완성되는 세상을 품고 있다.

하나됨은 사라짐이 아니라, 든든히 세워짐이다.

모든 것이 부서지고 용해되는 것이 아니라,
각각의 완성이자 모든 것의 축복이다.

하나된 세상, 그것은 결국 모두가 세워지고 모두가 풍요로운 세상이다.

산의 푸르름과 물의 자유함이 세상을 품어 안듯이,
과연 하나됨의 세상은 우리 안에 존재할 수 있을까?

The meaning of unity

The mountain is proud of its green color for water.
The water flows as streams for mountain.

All things have reasons and meanings of existence.

All things have forms, and the form is fundamentally one with one another, so there is no blockage.

The two complete their existence as one.

In a world that enforces differences and discrimination,
all things embrace a world in which all are completed as one.

Oneness is not about disappearing, but about building up.

Not everything crumbles and dissolves,
it is the completion of each and the blessing of all.

A world that is united, it is a world in which everything is built and everyone is prosperous.

As the greenness of the mountains and the freedom of the water embrace the world,
can a world of unity exist within us?

45 사랑에 대한 생각

사랑에 대한 많은 정의가 있지만, 그 중에서도 나의 마음을 사로잡은 정의가 있다.

"사랑은 오래 견디는 것이다."

이 말을 이해하기까지 시간이 한참 걸렸다.

이 말처럼 깊은 사랑을 표현한 말이 또 있을까? 이것은 이타적 사랑의 본질과 결과를 의미한다.

우리는 사랑에 대한 여러 조건들을 가지고 있다. 그리고 그 조건들이 계속해서 충족되지 않으면, 사랑의 감정도 서서히 사라진다.

우리는 불 같이 타오르지만 곧 식어버리는 사랑을 하고 있지는 않을까?

우리는 비처럼 흠뻑 젖었다가도 곧 메말라 버리는 사랑을 하고 있지는 않을까?

사랑은 견딜 수 있고 견디어내는 것이다.

사랑은 사막 한가운데에서도 목마르지 않다.

사랑은 거친 파도 위에서도 전혀 두렵지 않다.

사랑은 견디고 또 걷고, 견디고 또 걷는 것이다.

그리고 황혼 녘, 지친 팔로 서로를 감싸는 것이다.

There are many definitions of love. Among them, there is a definition that captured my heart.

“Love is patient.”

It took me a while to understand this.

Are there any other words that express such deep love? This refers to the nature and consequences of unselfish love.

We have several conditions for love. And if those conditions are not continuously met, the feeling of love will slowly disappear.

Aren′t we in love that burns like fire but quickly cools down?

Aren′t we in love that gets wet like rain and then dries up soon?

Love is enduring and to be endured.

Love never thirsts even in the middle of the desert.

Love is not afraid at all, even on rough waves.

Love endures and walks, endures and walks.

And at twilight, we would wrap our weary arms around each other.

46 떠남의 미학

코비드와 함께 시대, 집밖을 나서기가 어려운 시대가 되었습니다. 하지만 우리는 손 안에서 세계를 보고 세계와 만납니다.

우리의 경계는 코비드 전 보다 훨씬 넓어졌습니다. 그만큼 우리의 경험도 넓어졌을 것입니다.

나의 자리를 떠날 수 있는 것은 때로는 모험이고 용기입니다.

짧은 설레임이 지나면 그 다음은 긴장과 피곤, 그리고 불안이 다가옵니다. 하지만 많이 다녀보면, 그 만큼 경험이 쌓이고 견해가 넓어집니다.

이 경험은 우리의 정신을 풍요롭게 하고, 삶의 가치를 상승시킵니다. 내 집 안에서든, 밖에서든, 자주 떠날 수 있으면 축복입니다.

떠나면 집도 그립고 추억도 그리워지지요. 하지만 새로운 경험과 새로운 느낌은 우리의 일상에서 새로운 영감을 만들어 줍니다.

감각적인 아이디어를 만들어 내기도 하고, 구체적인 설계도를 완성시켜 주기도 합니다.

떠날수록 생각의 파도는 천천히 우리 안에 밀려들어 작은 혁신의 물보라를 일으킵니다.

떠남의 역설은 이렇게 우리를 또 한걸음 성장시킵니다.

Aesthetics of leaving

It′s with-covid era, then it′s hard to leave the house. But we see the world in our hands and we meet the world.

Our boundaries are much wider than before Covid. That would broaden our experiences.

Being able to leave my place is sometimes adventure and courage.

After a brief flutter, tension, fatigue, and anxiety come next. However, the more you visit, the more experience you gain and the wider your perspectives.

This experience enriches our spirit and increases the value of life. It is a blessing to be able to leave often, whether inside or outside home.

When you leave, you miss home and miss your memories. But new experiences and new feelings create new inspiration in your daily lives.

It creates sensuous ideas and completes detailed blueprints.

As we leave, the waves of thought slowly come into us, creating small splashes of innovation.

The paradox of leaving makes us grow one more step in this way.

47 슈가 쿠키

미국 네이비실에는 슈가 쿠키라는 전통이 있다.

해군 특수부대원이 되기 위하여 수개월 동안 최고의 힘든 훈련을 마친 후, 하얀 제복을 입고 빛나는 허리띠를 매고 구두를 신고 정장을 한다.

그러면 교관이 멋지게 제복을 차려 입은 훈련병들을 바닷가로 인솔하고 차가운 물에 뛰어들게 한다. 그리고 물에서 나온 훈련병들에게, 제복을 입은 채로 모래사장 위를 구르도록 명령한다.

머리부터 발끝까지 하얀 모래로 가득 뒤 덮인 훈련병들을 슈가 쿠키라고 부르는 것이다.

도대체 왜 이런 훈련을 하는 것일까?

군인의 제복은 국가와 국민을 위하여 더럽혀져야 한다는 것이다.

국가의 안전은 때때로 전쟁과 전투를 통하여 지켜질 수 밖에 없다.

그것은 죽음을 각오하고 인명을 살상해야 하는 절체절명의 현장이며 인간의 존엄이 더럽혀진 현장이다.

그 현장에서 군인은 국가와 국민을 지키기 위하여 희생을 무릅쓰고 싸워야 한다.

군인의 제복 그것은 명예로움의 상징인 동시에 우리를 위하여 더럽혀진 희생의 상징이다.

Sugar Cookies

In the US Navy Seal, there is a tradition of sugar cookies.

After months of extreme training to become a Navy Special Forces member, the trainee wears a white uniform, a shiny belt and shoes.

Then the instructor leads the trainees in stylish uniforms to the beach to jump into cold water. The instructor then orders the trainees who came out of the water to roll on the sand. The trainees covered in white sand from head to toe are called sugar cookies.

Why are they training like this?

A soldier′s uniform must be defiled for the sake of the country and its people.

National security can be maintained through wars and battles from time to time. It is a desperate scene where people must be prepared for death and kill people, and it is a site where human dignity has been defiled.

At the site, soldiers must fight at all costs to protect the country and its people.

A soldier′s uniform is a symbol of honor and a symbol of sacrifice defiled for us.

48 결혼생활의 비결

저희는 시드니에 있는 고풍스러운 멋진 교회에서 결혼식을 올렸습니다. 특별히 결혼식 주례를 해주신 Alan Russell 목사님의 주례사가 생각이 납니다.

주례사 중에 가장 기억에 남는 말은 이것입니다.

"결혼생활의 비결은 서로 지나간 잘못을 기억하지 않는 것이다."

기억해야 할 것과 기억하지 않아야 할 것을 잘 구분해야 좋은 남편, 좋은 아내 그리고 좋은 결혼생활이 되는 것 같아요.

아내의 생일이나 기념일 등은 확실히 기억하고 챙겨야겠지요. 그리고 지나간 잘못은 기억하지 않고 잊어주는 것이 좋을 것 같습니다.

그런데 아내나 남편이나 잘못한 일이 있으면 절대 잊지를 못하죠.

오히려 시도 때도 없이 계속 상대의 잘못을 우려먹는 일이 생깁니다.

조금 성질 나면 옛날 일을 끄집어내어 확실한 우위를 지키려고 하지요.

이제 서로의 잘못을 잊어주는 연습이 필요할 것 같습니다.

아내나 남편이 잘못한 것들을 과감하게 잊어주는 것이지요.

어떤 면에서는 잊는 것이 건강한 것 같아요.

잊지 않으면 잘못된 과거로부터 오는 불안과 질투와 미움이 계속해서 나를 휘감고 있을 테니까요.

The secret of married life

We got married in a nice old-fashioned church in Sydney. I am reminded of Pastor Alan Russell′s officiating speech. This is the most memorable words of the officiating message.

″The secret of married life is not to remember each other′s mistakes in the past.″

I think that a good husband, wife and a good marriage can only be achieved when we distinguish between what should be remembered and what should not be remembered.

Husband should definitely remember and celebrate his wife′s birthdays and anniversaries. And I think it would be better to forget about past mistakes and not remember them.

However, if our spouses had done something wrong, we tend to never forget it. We talk about the wrongdoing of husband or wife constantly and we get angry again and again.

When we get a little temper, we bring up old things and try to keep the upper hand. Now, it seems that we need to practice forgetting each other's wrong doings. It is boldly forgetting things that the wife or husband has done wrong.

In some ways, I think it′s healthy to forget other's wrong doing.

If I do not forget, the anxiety, jealousy, and hatred from the wrong past will continue to surround me.

49 귀를 씻은 이유

옛날 요 임금 시대에 허유와 소부라는 은자가 살고 있었습니다.

그들은 아부, 중상모략, 권력을 탐하는 벼슬아치들이 싫어서 은둔생활을 결심합니다.

요 임금은 자신의 자리를 선유하기 위하여, 은자로 알려진 허유에게 사람을 보냈습니다.

"입궁하면 많은 재산과 권력을 주고 편히 살도록 해 주겠다."

이 말을 들은 허유는 흐르는 시냇물에 자신의 귀를 씻었습니다.

마침 송아지에게 물을 먹이려고 시냇가로 오던 소부가 이를 보고 이유를 묻자, 허유는 이렇게 대답했습니다.

"나더러 권력과 재산에 눈이 먼 벼슬아치가 되라는 이 말을 듣고 더러워진 내 귀를 씻고 있소."

그러자 소부도 한 마디 합니다.

"그 귀를 씻어서 더러워진 물을 내 송아지에게는 먹이지 않겠소."

소부는 자신의 송아지를 몰고 그냥 돌아갔습니다.

권력과 재물, 명성 마저도 버리고 초야에 묻힌 은자의 고매한 인격과 삶의 철학을 잠시 생각해 봅니다.

50 가장 먼 길

어떤 사람이 인도를 여행하면서, 한 현자를 만났습니다.

"이곳까지 오는데, 기차로 100 시간이나 걸려서 왔습니다."

그러자 현자는 이렇게 말합니다.

"무척이나 먼 거리를 왔군요.

하지만 그것보다 훨씬 더 먼 거리가 있습니다.

세상에서 가장 먼 거리는 사람의 머리와 가슴까지의 길이입니다.

머리에서 가슴으로 이동하는데, 평생이 걸리는 사람도 있습니다."

생각이 삶의 느낌과 열정으로 바뀌기까지는 정말 오랜 세월이 걸릴 수 있습니다.

그런데 저는 그것보다 더 먼 거리가 있다고 생각합니다.

그것은 가슴에서 손까지의 길이입니다.

생각하고 느끼고 열정을 가지는 것도 오랜 시간이 걸리지만,

그것을 행동으로 옮기는 데에는 훨씬 더 많은 시간이 걸릴 수도 있지요.

The farthest way

A man was traveling in India, and he met a wise man.

He said, ″I got here, and it took me 100 hours by train.″

“You have come a very long way.

But there′s a lot more than that.

The longest distance in the world is the length of a person′s head to chest.

It goes from head to heart, and for some it takes a lifetime.″

It can take a really long time for thoughts to turn into feelings and passions for life.

But I think there′s a lot more than that.

I think it′s the length from your chest to your hands.

It takes a long time to think, feel and have passion,
but it may take much longer to put it into action.

51 자유, 경계를 넘어서다

인간은 경계를 짓는 동물과 같다.

일생 동안 수없이 경계를 짓는다.

그리고 그 안에서 달콤한 속박에 사로잡힌다.

하지만 그 경계 안에서 우리의 자유는 점점 속박되고
경계의 안락함이 오히려 자신을 옥죄어올 수 있다.

다양성의 시대에 경계는 필요하지만,
자칫 경계가 신념이 되고, 행동이 된다면 분열과 증오의 상징이 된다.

경계는 철옹성이 아니다.

단지 구별과 구분의 영역이다.

경계는 더욱이 신념이 아니다.

이제 서로의 경계를 넘어, 마음의 문을 열어보자.

그리고 싱그러운 자유의 향취를 만끽해보자.

Freedom, beyond boundaries

Humans are like animals that set boundaries.

We set boundaries many times throughout our lives.

And we are caught in sweet bondage in it.

But within those boundaries, our freedom is increasingly bound.
The comfort of the border can rather constrict us.

Boundaries are necessary in the age of diversity,
however if boundaries become beliefs and actions,
they become a symbol of division and hatred.

Boundaries are not fortresses.

It is just a realm of distinction and difference.

Boundaries are no longer beliefs.

Let′s cross over our borders and open the door of our hearts.

And let′s enjoy the freshness of freedom.

52 당신의 만족

어느 식당에 걸려있던 글귀이다.

"당신의 만족이 우리의 기쁨입니다!"

나의 만족을 위해서 사는 시대에,
타인의 만족을 구하는 사람은
시대의 정치가도, 예술가도, 철학자도 아닌 식당주인이었다.

단순히 손님을 끌기 위한 이 말이 새삼 깊이 다가오는 이유는 무엇일까?

그것은 우리 시대가 이기적인 욕망으로 가득 차 있기 때문이다.

그것은 우리 세대가 당면한 소유적 집착 때문이다.

한낮 광고 글로 치부할 수도 있지만,
이 글을 쓴 식당 주인은
시대를 변화시키며 새로운 도전을 일으키는 사람이 되었다.

정말 타인의 만족이 나의 기쁨이 될 수 있을까?

이 시대를 본받지 않고 마음을 새롭게 할 수 있다면,
그리고 변화된 미래를 만들어 갈 수 있다면..

This is a message hung in a restaurant.

"Your satisfaction is our joy!"

In the age of living for self- satisfaction,
a person who seeks the satisfaction of others,
he was a restaurant owner, not a politician, artist, or philosopher of this time.

Why does this phrase, simply to attract customers, come into my heart?

Because our times are full of selfish desires.

It is because of the obsession of having that our generation faces.

It may be dismissed as a midday advertisement,
but the restaurant owner who wrote this article,
he has changed the times and has become a person who creates new challenges.

Can other people's satisfaction really become my joy?

If we can renew our mind, not imitate this age,
and if we could create a changed future..

53 희망과 함께

헬라어로 인간을 안트로포스라고 합니다. 위를 바라보라는 뜻을 가지고 있습니다.

사람은 손에 무엇을 가지고 있느냐 보다, 무엇을 바라보고 사느냐가 더 중요하지요. 그런데 우리들의 현실은 소유에 더욱 집착하게 합니다.

위를 바라본다고 하는 뜻은 희망을 바라본다는 것인데, 우리는 희망을 바라보기 보다는 현재를 바라보고 현재에 갇혀서 살고 있는 것 같습니다.

마케도니아의 황제인 알렉산더는, 권좌에 오르자 헬라를 통일하고 헤레스본드 해협을 건널 때, 자신의 소유를 모두 신하들과 병사들에게 나누어 주었다고 합니다.

한 신하가 물었습니다.
"폐하, 재물을 그렇게 다 나누어주면 폐하께는 무엇이 남겠습니까?"

이 때, 알렉산더는 기쁨에 찬 목소리로 대답하였습니다.
"짐은 앞에 있는 희망을 갖겠노라."

보이지 않는 희망을 볼 수 있는 알렉산더의 열망과 의지가 드러나는 일화입니다.

우리의 현실도, 희망이 있는 현실이었으면 좋겠습니다.

우리의 시야도, 보이지 않는 희망을 볼 수 있으면 좋겠습니다.

희망을 바라보는 것은 결국 미래의 현실을 위한 것이니까요.

With hope

The Greek word for man is Anthropos. It means to look up.

What a person looks at is more important than what he has in his hand. But our reality makes us obsessed with possessions.

To look upward means to look forward. But, Rather than looking at hope, we are looking at the present and living in confinement of the present.

When Alexander, the emperor of Macedonia, ascended to his throne, united Greece and crossed the Strait of Heresbond,
it is said that he gave all of his possessions to his servants and soldiers.

A servant asked.
"Your Majesty, if you divide all your wealth like that, what will your Majesty be left with?"

At that time, Alexander answered in a joyful voice.
"I will have the hope ahead."

This is an anecdote that reveals Alexander′s aspiration and will to see the invisible hope.

I hope that our reality is also a reality with hope. I wish we could see our vision and the invisible hope.

Because looking at hope is ultimately for the reality of the future.

54 생각은 자유다

윌리엄 세익스피어의 말입니다.

이 세상에 생각보다 자유로운 것은 없겠죠. 그래서 생각할 수 있다는 것은 큰 축복입니다.

자유로운 생각으로 우리는 성장을 지속하여 왔습니다. 자유로운 사고는 인간의 삶의 발전을 이루게 하였고, 사상의 확장을 이루게 하였습니다.

생각은 진보의 힘이고 현재를 뛰어넘는 도약대입니다. 이렇게 인류는 생각과 함께 성장하여 온 것이죠.

후대의 데카르트 또한 이런 말을 남겼습니다.

"나는 생각한다 그러므로 존재한다."

생각한다는 것이 인간의 정체성이라는 의미입니다.

모든 것이 증명될 수 없는 상황에서 생각한다는 사실만이 진실이라는 것이죠.

이렇게 생각에는 진실과 자유가 존재합니다.

생각할 수 있는 것이 인간이고
자유로운 사고와 상상력이 인간을 인간되게 합니다.

생각은 결국 우리의 삶의 전부입니다.

Thought is free.

This is the words of William Shakespeare.

Nothing in this world is as free as you think. So it is a great blessing to be able to think.

With a free mind, we have continued to grow. Free thinking led to the development of human life and the expansion of thoughts.

Thoughts are the power of progress and a springboard that transcends the present. In this way, mankind has grown with thoughts.

Later Descartes also said this.

"I think, therefore I am."

Thinking is what it means to be human.

The only truth is that you think even in circumstances that cannot be proven.

In this way of thinking, truth and freedom exist.

Free thinking and imagination make us being human.

Thoughts are everything in our life after all.

55 작은 발자취

저는 발자취라는 말을 좋아합니다. 거대한 족적은 아니더라도 내가 소중히 걸었던 길에는 나의 발자취도 남아있겠죠?

선명히 보이지는 않지만, 그래도 누군가가 이 길을 걸었겠구나 생각할 수 있는 작은 발자취라도 남겼으면 좋겠습니다.

그래서 그 발자취를 따라 또 다른 누군가가 그 길을 걸어갈 수 있으면..
그렇게 걷고 또 걸어서 작은 오솔길도 생기고, 작은 시냇물도 건너면서 삶과 삶이 이어질 수 있으면 좋겠습니다.

옛날 세계적인 듀엣은 험한 세상의 다리가 되는 것을 노래했죠. 그 노래를 들으면서 험난했던 세상을 지나고 어려운 시간들을 견뎌냈었죠.

우리들의 작은 발자국들도 그 노래처럼, 언젠가 사람들의 마음에서 그려지기를 꿈꾸어 봅니다.

길을 통해서 삶이 이어지듯, 서로의 발자취를 통해서 마음과 마음이 이어지고 기쁨도 슬픔도 행복의 통로가 되기를..

기쁨은 서로 나눌 수 있기에 행복으로 이어지고,
슬픔도 서로 나눌 수 있기에 위로와 배려로 이어지듯이..

어제의 우리들의 모습이 어떠하였든, 오늘은 행복한 날이 될 수 있겠죠?

서로에게 기쁨과 위로가 될 수 있는 하루가 된다면 말이지요.

Small footprints

I like the word footsteps. Even if it's not a huge footprint, my footsteps will remain on the path I cherished?

It's not clearly visible, but I'd like to leave small footprints that makes people think that someone has walked this path. So, if someone else can walk that path by following in those footsteps...

I hope that life can be connected by walking and walking, creating small trails and crossing small streams.

An old world-famous duet sang about being as a bridge over troubled water. Listening to that song, we went through difficult situations and endured difficult times.

I dream that our small footsteps will one day be drawn in people's minds just like the song. As life connects through the road, through each other's footsteps, we hope that our hearts and minds will connect, and that joy and sorrow will become channels of our happiness.

Just as the joy can be shared with each other, it leads to happiness, just as sadness can be shared with each other, it leads to comfort and caring, No matter how we were yesterday, today can be a happy day?

If it becomes a day that we can bring joy and comfort to one another.

56 태산과 같이 무겁게 행동하라

조선의 수군들이 처음 왜군과 맞딱드리는 상황에서,
이순신 장군의 첫 명령은 바로 "정중여산"이었다.

태산과 같이 무겁게 행동하라는 뜻이다.

처음 왜군들과의 전투를 앞두고 가장 중요한 일이
바로 흔들리지 않는 것이었다.

산처럼 무겁게, 침착하게 행동하는 것이 바로 첫 번째 임무였다.

어떤 일을 준비하고 시작할 때,
긴장과 두려움이 먼저 우리를 집어삼킬 듯이 다가온다.

이를 제어하기 위해서는 먼저 흔들림 없는 확신이 필요하다.

준비한 데로 일을 진행하기 위해서는
마음을 다잡고 흔들림 없이 견고하게 서는 일이 중요하다.

마음이 흔들리면 실수도 나오고 잘못된 선택도 할 수 있다.

어떤 일에든지 마음의 담대함을 기르는 것이 중요지 않을까?

Be calm like a mountain

When the Joseon naval forces faced the Japanese for the first time,
Admiral Yi Sun-Shin's first order was "Jeongjungyeosan".

It means to act as heavy as a big mountain.

Before the first battle with the Japanese forces,
the most important thing was not to be shaken.

The first task was to act calmly and like a heavy mountain.

When we start preparing for something,
tensions and fears come to us as if swallowing us up.

In order to control this fear, we first need unwavering confidence.

It is important to have a strong mind and stand firm without wavering
in order to proceed with the work as planned and prepared.

If your mind is shaken,
mistakes can occur and you can make wrong choices.

Isn't it important to have a calm and strong mind in any situations?

57 나를 빛나게 하는 거울

"너의 모습을 물에 비추어 보지 말고 다른 사람에게 비추어 보라."

고대의 현자가 들려주는 이야기가 현대의 우리들에게 깊은 울림을 줍니다.

나를 본다고 하는 것은 나의 외모나 내가 치장한 것을 보는 것이 아니라, 타인에게 드러난 나의 내면의 모습을 본다는 의미이지요.

다른 사람에게는, 내가 볼 수 없는 나의 모습이 있습니다. 그래서 고대의 현자는 나의 모습을 물에 비추어 보기 보다, 다른 사람을 통하여 나의 내면을 바라보라고 충고합니다.

우리는 잘 알고 있습니다. 우리의 외형보다 내면이 더욱 중요하다는 것을.

그런데 우리는 외형을 보고 다른 사람을 판단하고, 외모를 보고 다른 사람을 차별하곤 하지요.

어떤 사람이 단지 초라한 옷을 입었다고 해서, 차별과 냉대를 감수해야 할까요? 그가 입은 옷과 그가 가진 소유가 그를 전적으로 대변하지는 않겠죠.

그에게는 소중한 삶의 기억이 있고, 따뜻한 관계가 있고, 의로운 내면의 이야기가 존재할 수도 있습니다.

그는 나와 더불어 함께 하는, 서로 존중 받아야 할 또 다른 나일 수 있습니다.

타인을 존중하는 마음이 곧 나를 빛나게 하는 거울이 됩니다.

A mirror that makes me shine

"Don't look at yourself in the water. See it in the reflection of others."

The story told by the ancient sage resonates deeply with us today.

To look at me is not to look at my appearance or how I've dressed.
It means seeing my inner self as revealed to others.

Others have aspects of me that I cannot see. So the ancient sage advises to look inside yourself through other people rather than looking at yourself in the water.

We know it well. Our inner self is more important than our outer appearance.

However, we judge others by their appearance and discriminate against others by their possessions.

Should a man be despised because he wears shabby clothes? The clothes he wears and the things he owns do not fully represent him.

He may have cherished memories of life, warm relationships, and righteous inner stories.

He could be another me who should be respected like me.

To respect for others becomes a mirror that makes me shine.

58 자유를 위한 용기

고대 그리스 아테네의 지도자인 페리클레스가 펠로폰네소스 전쟁 중에 한 연설입니다.

″행복은 자유에 있고 자유는 용기에 있음을 명심하고 전쟁의 위험 앞에 망설이지 말라.
자긍심을 가진 사람에게는 희망을 품고 용감하게 싸우다가 자신도 모르게 죽는 것보다, 자신의 비겁함으로 인하여 굴욕을 당하는 것이 더 고통스러운 법이다.″

자유는 그냥 얻어지지 않지요. 자유를 위한 용기가 필요한 때입니다.

세계는 계속되는 정치적, 경제적 전쟁에 몰입하고 있습니다. 언제나 그렇듯 전쟁은 자유를 파괴하고 말살시킵니다.

지도자는 공동체에 자유를 추구할 수 있는 힘과 가치 판단의 영역을 제공해야 합니다.

그리고 공동체는 스스로 자유를 지키기 위한 노력을 견실하게 추구해 나가야 합니다.

"갈망이 없이는 길들여집니다."

행복과 자유에 대한 갈망은 우리 삶의 공통적인 주제이며, 이를 지켜내는 일은 자유 시민의 숭고한 책임입니다.

자유를 향한 자긍심으로 오늘도 멋지게 달려나가시기를!

59 고열을 견디듯이

대장간에서 쇠를 강하게 만들기 위해서는 1500 도 이상의 고열에 달구었다가 다시 물에 넣어 식히고, 이것을 반복함으로써 강한 쇠를 얻습니다.

강한 신념과 열정을 가지기 위하여는 이렇게 시련과 고통도 이겨나가야 한다는 것이죠. 고열 속에서 쇠가 강하여 지듯이, 고통 속에서 우리의 인격은 더욱 성숙해집니다.

어려운 순간이 오면, 우리는 비로소 깊은 생각을 하게 되지요.

한탄 섞인 자조와 함께 고통을 이기기 위한 여러 가지 가능성을 숙고하면서, 우리의 내면은 더욱 깊은 통찰력을 가지게 됩니다.

누구에게든지 고통과 시련의 시간은 다가오지요.

하지만 그러한 고통의 순간이 나의 인격을 성장시키고 내면의 확장을 이루기 위한 기회가 될 수도 있습니다.

고통을 이기기 위해서는 그 만큼의 인내와 결단이 필요합니다. 참고 견디면서 깊은 내면의 대화를 시도하는 것이죠.

결국 실패의 두려움에서 우리를 일으키는 힘은, 나 자신을 적극적으로 신뢰하고 나의 내면의 소리를 받아들이는 일입니다.

고열을 견디듯이, 시련을 견디는 일은 나의 원대한 미래의 청사진을 그리는 것과 같습니다.

Like enduring high heat

In order to make iron strong in the smithy, it is heated to a high temperature of 1500 degrees or higher, then put it in water to cool again, and by repeating this, strong iron is obtained.

In order to have strong faith and passion, you have to overcome trials and pains like this. Just as iron strengthens in high heat, so our personality matures in suffering.

When difficult moments come, we begin to think deeply.

As we contemplate the different possibilities for overcoming suffering, we gain deeper insight within ourselves.

Times of pain and trials come to everyone.

But those moments of pain can also be an opportunity to grow your character and achieve inner expansion.

It takes a lot of patience and determination to overcome pain.

It′s about being patient and trying to have a deep inner conversation.

In the end, the force that lifts us out of our fear of failure is to actively trust in ourselves and to accept our inner voices.

Just like enduring high fever, enduring trials is like drawing a blueprint for our grand future.

60 토양을 바라보는 시야

위기가 곧 기회라는 말이 있다.

정말일까?

어떻게 위기가 기회가 될 수 있을까?

위기는 그야말로 갑작스럽게 다가오는 어려운 환경을 일컫는 말이다.

어려운 상황이 시작되면 실패의 두려움이 앞서게 되고 고통의 결과들을 목도하게 된다.

그런데 역사를 돌이켜보면, 정말 위기 가운데
새로운 혁신의 순간이 시작되고 오히려 반전의 결과가 일어난 예를 무수히 볼 수 있다.

최근의 예를 본다면, 2008 년 미국의 리먼 브라더스 사태로부터 시작된 전세계적인 금융위기를 들 수 있다.

부동산 가격이 일시에 반 토막이 나면서 엄청난 경제적 위기가
찾아왔지만, 실리콘밸리의 사람들은 공유경제라는 혁신적 기회를 열어 젖혔다.

숙박공유의 선구자, 에어비앤비와 차량공유의 선구자, 우버가 시작된 것이다.

경제적 위기 속에서 모두가 움츠려들 때,
새로운 혁신적인 사고를 통하여 새로운 아이콘이 탄생하였고
우리를 새로운 시대로 이끌었던 것이다.

그리고 2019년 말부터는 온 인류가 전세계적인 코비드 팬데믹이라는
거대한 위기 속에 있어왔다.

사회적 고립과 엄청난 경제적인 위기 가운데 있었지만,
오히려 이로 인하여 온라인에서의 일대 혁신이 일어나게 되었고,
거리상의 장애를 뛰어넘는 초접근의 세계화의 시대에 돌입하게 되었던
것이다.

넷플릭스와 줌을 비롯한 다양한 소셜미디어 컴퍼니들이 비약적인 발전을
이루었고, 교육과 경제, 문화적 환경들에 일대 혁신이 이루어지게
되었다.

우리의 실존과 환경은 마치 우리 앞에 펼쳐진 거칠고 메마른 토양과
같다.

문제는 토양 자체가 아니라, 그 토양을 바라보는 인간의 시야이다.

인간의 혁신적 시야는 거치른 토양을 옥토로 바꾸었고 풍성한 수확을
얻게 하였다.

그렇게 우리는 위기 속에서 진정한 기회를 만들어 내었던 것이다.

정말 위기는 또 다른 기회이다.

Innovative vision

There is a saying that a crisis is an opportunity.

Really?

How can a crisis be an opportunity?

A crisis is a term that refers to a difficult environment that comes suddenly.

When a difficult situation begins, the fear of failure prevails us and we see the consequences of suffering.

But looking back on history, when people are in the midst of a crisis there are countless examples of the beginning of a new moment of innovation and the result of a reversal.

A recent example is the global financial crisis that started with the Lehman Brothers crisis in the United States in 2008.

A huge economic crisis came as real estate prices were cut in half, but the people of Silicon Valley have opened up the innovative opportunity of the sharing economy.

This is where Airbnb, a pioneer in accommodation sharing, and Uber, a pioneer in car sharing, started.

When everyone is cringing in the midst of an economic crisis, new unicorns were born through a new innovative thinking and it has led us into a new era.

And since the end of 2019, all of mankind has been in the midst of a huge crisis called the worldwide Covid pandemic.

In the midst of social isolation and tremendous economic crisis, rather, this led to a major innovation in the online world.

We have entered the era of super-accessible globalization that overcomes obstacles in the distance.

Various social media companies, including Netflix and Zoom, have made leaps and bounds, a major innovation was brought about in education, economic and cultural environments.

Our existence and environment are like the rough and dry soil unfolding before us.

The problem is not the soil itself, but the human view of the soil.

Man′s innovative vision has turned rough soil into fertile soil and yielded a bountiful harvest.

That is how we created a real opportunity in the midst of a crisis.

Indeed, a crisis is another opportunity.

61 Think & Thank

인간이 동물과 다른 점은 무엇일까요? 하나는 사색, 또 하나는 감사라고 합니다.

물론 동물들도 어느 정도 생각할 수 있고 고마움도 표현할 수 있겠지만, 깊은 성찰과 감사의 나눔은 인간의 특별한 의지라고 할 수 있겠죠.

생각의 힘은 때때로 인간을 정의합니다. 생각할 수 있는 존재, 생각해야 하는 존재가 바로 인간인 것이죠.

그래서 생각보다 행동이 앞서면 잘못된 결과가 나타나기도 합니다.
그리고 그러한 행동은 서로의 관계에 심각한 상처를 낼 수도 있지요.

관계에 있어서, 생각의 중심은 바로 배려라고 생각합니다. 타자의 마음으로 상황을 바라볼 수 있는 것이 배려이지요. 이 배려의 마음이 곧 깊은 생각의 결과인 것입니다.

감사하는 마음 역시 깊은 생각의 산물입니다. 감사라는 의미가 곧 생각한다는 것인데, 내가 얻고 누리는 것에 대한 자족감과 그에 대한 고마운 생각이라고 할 수 있겠지요.

그래서 감사의 마음은 우리의 삶을 더욱 더 풍성하고 행복하게 만들어 줍니다.

생각을 통해서 배려하고, 생각을 통해서 감사하고, 생각을 통해서 행동한다면, 우리의 일상이 조금 더 멋있어질 수 있지 않을까요?

What makes humans different from animals? One is thoughts and the other is gratitude.

Of course, animals can think to some extent and express their gratitude, but deep reflection and sharing of gratitude is a special human will.

The power of thought sometimes defines human beings. Human beings can think and have to think. Therefore, if you act before thinking, the wrong results may appear.

And such behavior can seriously damage your relationship. When it comes to relationships, the center of thought is consideration and caring. Consideration is being able to look at the situation from the other person's point of view.

This somewhat caring is the result of deep thinking.

Gratitude seems to be a product of deep thought.

The meaning of thanks is to think, it can be said that it is a feeling of self-sufficiency and gratitude for what I have obtained and enjoyed.

So, gratitude makes our lives richer and happier.

If you care with your thoughts, thank with your thoughts, and act with your thoughts, wouldn't our daily life be a little bit nicer?

62 스스로 낮아질 수 있는 용기

알버트 슈바이처 박사가 아프리카인들을 돕기 위한 모금운동을 하기 위해 고향으로 돌아오고 있었습니다.

20 세기의 성자로 추앙 받는 슈바이처 박사가 고향으로 돌아온다는 소식을 들은 많은 사람들은 모두 기차역에 모여 그를 기다리고 있었습니다.

이윽고 기차가 도착하자, 기차역에 있던 수많은 사람들은 기차의 1 등칸 앞에서 그가 나오기를 기다리고 있었습니다. 그런데 얼마 후, 슈바이처 박사는 저 멀리 3 등칸에서 나오고 있었습니다.

사람들은 그의 모습을 보고 달려가 그를 에워쌌고, 기자들은 서둘러서 질문을 합니다.

"슈바이처 박사님, 어떻게 3 등칸을 타고 오십니까?"

그러자, 슈바이처 박사는 이렇게 대답합니다.

"4 등칸의 표가 없어서 3 등칸을 타고 왔습니다."

이 세상의 최고의 용기는 무엇일까요?

그것은 스스로 낮아질 수 있는 용기입니다.

모두 자신들의 힘을 뽐내고 자신들의 부를 과시하는 세상에서, 스스로 낮아질 수 있는 것은 참으로 위대한 용기입니다.

저도 이만한 깊은 마음과 낮아짐의 용기를 얻었으면 좋겠습니다.

The courage to humble yourself

Dr. Albert Schweitzer was returning to his hometown to raise funds to help Africans.

When people heard the news that Dr. Schweitzer, revered as the saint of the 20th century, would return to his hometown, many gathered at the train station and waited for him.

When the train arrived, a large number of people at the train station were waiting for him to come out in front of the train′s first-class car. However, after a while, Dr. Schweitzer was coming out of the third-class car in the distance.

People saw him and ran to surround him, and reporters rushed to ask questions.

"Dr. Schweitzer, how do you get to the 3rd class car?"

Then Dr. Schweitzer replied: "There was no ticket for the fourth class, so I came in the third class."

What is the greatest courage in the world? It is the courage to humble yourself.

In a world where everyone brags about their strength and flaunts their wealth, it is a great courage to humble yourself.

I hope that I too will have such a deep heart and courage to humble myself.

63 사람이 온다는 것은

정현종님의 시에 이런 글이 쓰여있다.

"사람이 온다는 것은, 사실 어마어마한 일이다.

그의 과거와 현재 그리고 미래가 함께 오기 때문이다.

한 사람의 일생이 오기 때문이다."

우리는 수많은 만남을 통하여 우리의 삶을 지속시키고 성장시킨다.

만남은 타인에게 나의 삶의 경계를 열어 경험을 확장시키고, 나의 인격을 성숙시키는 것이다.

만남은 단순한 교제가 아니다.

만남은 사람이 오는 것이다.

그 사람의 인생 전체가 오는 것이다.

그러므로 나의 인생 전체를 통하여 맞이해야 하지 않을까?

The fact that someone is coming

This is written in a poem of Cheong Hyun Jong.

″To have people come, it′s actually a huge deal.

This is because his past, present, and future come together.

Because one′s whole life comes.″

We continue and grow our lives through numerous encounters.

It is to open the boundaries of my life to others to expand my experience and mature my personality.

Encounter is not just a social affair.

It is people coming.

His whole life is coming.

So shouldn′t I greet him with my whole life?

64 이름없는 들풀도 대자연의 일원이다

불행이다, 아니다를 어떻게 판단할까요?

가만히 생각해보면, 상대적인 것이 아닐까 생각하게 됩니다.

부유하다고 하는 것도 엄밀히 말하면 상대적인 개념이 아니겠어요?

이 세상에 나 혼자만 살고 있다면, 부유하다는 것이 무슨 의미가 있을까요?

그래서 사람들이 자연인이라는 방송 프로그램을 좋아하는지도 모르겠네요.

나 홀로 부유함이나 가난함에 종속되지 않고, 불편하지만 자연과 동화되어 살아가고 싶은 것이죠.

우리는 때때로 다른 사람들과 비교하여 나 자신을 열등하게 생각하기도 합니다.

또한 나 자신이 아무런 가치가 없다고 느끼기도 합니다.

하지만 절대로 그렇게 생각할 필요는 없습니다.

나는 나대로, 내 방식과 의미로 살아가는 거죠.

이름없는 들풀도 대자연의 일원입니다.

그 한결같은 흔들림에서 아름다운 대자연의 그림이 완성되지요.

How do you decide whether it is bad luck or not?

If you think about it quietly, you might think that it is a relative thing.

Strictly speaking, wealth is also a relative concept, isn′t it?

If you were the only one living in this world, what would it mean to be wealthy?

That′s why people might like a TV show called "The Man of Nature".

People want to live alone, not subject to wealth or poverty, but assimilate with nature.

You sometimes think of yourself as inferior to others.

You also feel that you are not worth anything.

But you never have to think that way.

You live in your own way and by your means.

A nameless wild weed is also a member of Mother Nature.

With that steady shaking, a beautiful picture of Mother Nature is completed.

65 강인한 뿌리는 아픈 고난의 선물이다

미국 캘리포니아의 킹스캐니언 국립공원에 가면, 레드우드라는 엄청난 나무의 숲이 있다.

키가 약 120 미터, 둘레가 30 미터, 자동차가 나무기둥 안을 통과해서 다닐 수 있는 거인나무 중의 거인이다.

그런데, 공원을 가로질러 다니다 보면, 큰 나무들이 옆으로 쓰러져있는 장면을 곳곳에서 볼 수 있다.

무슨 대단한 자연재해가 없었음에도 많은 나무들이 쓰러져서 일생을 마감한다.

왜 그럴까? 그 이유는 환경이 너무 좋은 탓이다.

일년 내내 적당량의 강수량과 햇빛, 온도마저 레드우드가 자라기에 완벽한 조건을 갖추고 있다.

결국 이 거대한 나무는 뿌리를 멀리, 깊이 내리지 않아도 살아가는 데에 별 힘이 들지 않는다.

뿌리가 강하지 않은 채로 백 미터의 높이로 자랐으니, 웬만한 비바람에도 뿌리째 뽑혀 쓰러지고 마는 것이다.

때때로 고난은 우리의 뿌리를 든든하게 해준다.

쓰러지지 않는 강인한 뿌리는 어쩌면 아픈 고난의 선물인 셈이다.

If you go to Kings Canyon National Park in California, USA, there is a huge forest of trees called redwoods.

It is about 120 meters tall and has a circumference of 30 meters.

However, if you walk across the park, you can see scenes where large trees have fallen sideways.

Even without any major natural disaster, many trees fall down and end their lives.

Why?

The reason is that the environment is too good.

Even moderate amounts of precipitation, sunlight and temperature all year round are perfect conditions for redwoods to grow.

After all, this gigantic tree does not require much effort to survive even if its roots are not planted far and deeply.

It has grown to a height of 100 meters without strong roots, so it will be uprooted and toppled over by any rain and wind.

Sometimes suffering strengthens our roots.

A strong root that does not fall is perhaps the gift of painful suffering.

66 삶의 태도와 레토리카

우리가 대왕의 스승으로 알고 있는 아리스토텔레스는 서양철학과 문화의 본류를 형성하는 논리와 지혜의 대명사이다.

그는 마케도니아에서 태어나 플라톤의 아카데미에서 수학하고 알렉산더 대왕의 스승으로 있으면서 가장 중요한 철학적 지표를 인류에게 제공하였다.

그의 레토리카, 즉 수사학에서 제시한 실천적 대화의 모델이 바로 그것이다.

인간의 사회와 공동체에서 추구하는 관계를 올바르게 형성하기 위해서는 대화와 설득을 통한 생각의 교류가 필요하다.

아리스토텔레스는 이러한 커뮤니케이션의 방법론으로써 세가지 주요한 관점을 우리에게 제시하고 있다.

로고스, 파토스, 에토스가 바로 그것이다.

대화와 설득, 생각의 교류는 그 자체로서 논리적이어야 하며, 감성적인 포용력과 함께 정당한 규범적인 인간성을 매개체로 한다.

즉 자신의 생각을 논리적인 방식으로 표현하는 동시에, 상대방에 대한 감성적인 포용력까지 생각할 수 있는 방식으로 대화가 이루어져야 한다는 것이다.

그리고 가장 중요한 요소는 바로 윤리적 규범에 충실한 인간성을 추구하고 유지시키는 것이다.

이것이 무너지면, 더 이상 신뢰할 수 없는 인간성의 소유자가 되고, 더 이상 그의 말을 듣지 않게 된다.

언어는 바로 인간 됨됨이에서 출발한다.

그의 가치관과 태도, 삶을 지향하는 진정성에서 올바른 대화는 시작될 수 있다.

화려하고 능수능란한 언변을 키우기 전에, 진솔하고 신뢰할 수 있는 삶의 태도를 먼저 지향해야 할 것이다.

Aristotle, who we know as the teacher of the Great, is the epitome of logic and wisdom that forms the mainstream of Western philosophy and culture.

Born in Macedonia, he studied at Plato's Academy and was a teacher of Alexander the Great, providing humankind with the most important philosophical indicators.

It is his rhetorica, that is a model of practical dialogue presented in rhetoric.

In order to properly form the relationship pursued by human society and the community, it is necessary to exchange thoughts through dialogue and persuasion.

Aristotle presents us with three main points of view as this methodology of communication.

These are logos, pathos, and ethos

Conversation, persuasion, and exchange of thoughts must be logical in itself, and it is a medium of legitimate normative humanity along with emotional engagement.

In other words, conversations should be made in a way that expresses one's thoughts in a logical way while also thinking about emotional engagement with the other person.

In addition, the most important factor is to pursue and maintain faithful humanity and ethical norms.

When it collapses, the person becomes no longer trusted, and people do not listen to him any longer.

Language starts from being human.

The right conversation can begin with a person's values, attitudes, and sincerity toward life.

Before developing flashy and skillful speech, we should first aim for a sincere and reliable attitude of life.

67 포용의 시선

그림작가이며 배우인 정은혜, 그녀는 다운증후군을 가진 발달장애인으로 살아오면서 긍정의 힘으로 삶을 버텨내었고 끝끝내 자신의 꿈을 이루는 사람이 되었습니다.

그녀에게 가장 힘들었던 것은 사람들의 시선이었다고 합니다. 자신의 다른 외모 때문에 어디를 가든지 다른 사람들의 차가운 시선이 집중되었고, 급기야 그녀에게 시선강박의 정신병적 증상이 일어났습니다.

사람 만나기가 두렵고 모든 사람들이 싫어지는 극도의 우울감을 그녀는 어떻게 이겨낼 수 있었을까요?

그녀는 자신의 삶을 송두리째 빼앗아버렸던 바로 그 시선을 통하여 오히려 아픈 상처와 경계를 허물게 됩니다. 이제는 그녀가 다른 사람들을 바라보고 그들의 모습을 자신의 화폭에 담기 시작했던 것이죠.

타인의 모습을 바라보고, 포용의 시선으로 아름답게 그려가면서 그녀의 마음의 병은 치유를 얻습니다. 사람들의 미소와 따뜻한 말 한마디에 용기를 얻고 행복을 얻습니다. 그렇게 마음과 마음이 이어지면서 그녀의 삶은 온통 새로운 찬란한 삶으로 바뀌게 되었죠.

우리들의 시선은 어떠한가요? 때로는 부러움과 질투와 냉대와 차별의 시선은 아니었을까요?

정은혜님의 삶처럼, 우리도 따뜻한 포용의 시선으로 세상을 꼭 안아주면 좋겠습니다.

Gaze of Embrace

An illustrator and actress, Jung, Eun-Hye, as she lived as a developmentally disabled person with her Down Syndrome, her power of positivity helped her through her life and eventually became a fulfillment of her own dreams.

She said that the most difficult thing for her was the stare of other people. Because of her different looks, she got cold stares from other people wherever she met people, and eventually she suffered by psychotic symptoms of obsessive-compulsive disorder of stare.

How could she cope with the extreme melancholy that she fears people and hates people?

Through the very stare that gave her pains through entire life, she breaks down her painful wounds and boundaries. She began to look at other people and incorporate them into her own paintings. As she stares at others and portrays them beautifully with an embracing gaze, her heart′s ailment is gradually healed.

She gains courage and happiness from people′s smiles and their warm words. As her heart and others were connected like that, her life was changed to a new, splendid life.

How are we looking at others? Wasn′t it sometimes the stare of envy, jealousy, coldness, and discrimination? Like Jung Eun-hye′s life, I hope we can embrace the world with a warm and embracing gaze.

68 자긍심은 나의 존재에 대한 권리이다

왜 우울감이 생길까? 신경정신과적 질환 또는 외상 후 스트레스가 아니라면, 그것은 대부분 자신에 대한 열등감에서 출발한다.

일찍이 어느 전문가는, 자아가 이상으로부터 냉대를 받는 상태라고 설명하고 있다.

내가 바라는 것이 계속해서 실현되지 않을 때, 그리고 그에 대한 가능성이 점차 사라질 때, 우리는 열등감에 직면하게 되고 나아가 우울감을 경험하게 된다.

이렇게 우울감이 찾아올 때, 자긍심에 대하여 생각해 보자.

자긍심은 나의 존재에 대한 인식이다.

자긍심을 갖는다는 것은 단순히 나를 뽐내고 자랑하는 것이 아니다.

자칫 현실에서 주저앉아 있는 나를 일으켜 세우는 것이다.

자긍심은 외부의 상황에 지나치게 의존하지 않도록, 나의 내면에 든든한 방어벽을 세우는 것이다.

강인한 자아는 주변 상황에 도취되지 않고 분위기에 휩쓸리지도 않는다.

목표를 잃고 이리저리 해매이지 않고, 잘못된 무드에 젖어 나약하게 주저앉지도 않는다.

묵묵히 나의 길을 무소의 뿔처럼 걸어가는 것이다.

Why do you feel depressed? Unless it's a neuropsychiatric disorder or post-traumatic stress, it mostly starts with a feeling of inferiority to oneself.

An expert once explained that it is what the ego is rejected from ideal mood.

When our wishes keep failing to come true, and when that possibility gradually disappears, we are faced with feelings of inferiority, and furthermore, we experience depression.

When you feel depressed like this, think about your self-esteem.

Self-esteem is the awareness of one's existence.

Being proud is not simply bragging about yourself. It will lift you up from sitting place in reality.

Pride is to build a strong defense wall within yourself so as not to be overly dependent on external circumstances.

A strong ego does not get carried away by the surrounding circumstances and by the atmosphere.

You do not lose your goal and wander around.
You do not sink weakly in the wrong mood.

You will silently walk your path like a rhinoceros horn.

69 새로운 날은 새 희망과 함께

내가 이만큼 노력했는데 결과가 잘 안 나왔다고 낙심하지 말고,

이것은 나에게 또 하나의 중요한 훈련이었다고 생각하고 교훈을 얻어보자.

그런 교훈들이 나의 삶에 점점 쌓이면서 비로소 좋은 결과를 얻게 된다.

세월을 한탄하고 신세를 한탄한다고 해서 결과가 달라지는 것은 아니다.

결국 다시 나를 일으켜야 무엇이라도 이룰 수 있지 않겠는가?

한탄과 원망과 걱정은 그 날로 족하다.

새로운 날은 새 희망과 함께 시작하자.

A new day with new hope

Don′t be discouraged if you′ve tried so much and the results aren′t good.

Think that this was another important training for you and learn a lesson.

As these lessons accumulate in your life, you get good results.

Lamenting over time and lamenting about the situation does not change the outcome.

In the end, wouldn′t it be possible to achieve anything by raising you again?

Lamentations, resentments, and worries are enough for that day.

Let′s start a new day with new hope.

70 밸랭의 교훈

브라질에는 거대한 숲인 아마존으로 들어가는 관문이 있다.

이 놀라운 아마존 강과 대양이 만나는 곳에 밸랭이라는 곳이 있다고 한다.

이곳은 예전부터 포르투갈 양식을 가진 다양한 건축물들이 밀림의 나무들과 어우러져 멋진 풍광을 뽐내고 있는 한편,
새롭게 만들어진 시가지는 마천루들이 즐비한 현대적인 도시가 되었다.

이곳에는 철과 알루미늄 등 많은 광물들이 생산되고 있으며, 비옥한 땅에서는 다양한 농산물들이 생산되고 있다.

망고, 파인애플, 브라질 너트와 고무 등이 대량 생산되어 세계적으로 수출되고 있으며, 카카오, 정향 등 향신료들이 거래되는 약초의 집산지로도 유명하다.

그리고 바다와 강이 만나면서 수십 킬로미터의 강에서 약 2000 여 종류의 물고기가 잡히고, 수많은 해산물과 농산물이 생산되고 거래되는 곳이다.

무엇이 이 거대한 지역을 이토록 풍요로운 땅으로 만들었을까?

그것은 강과 바다가 만나는 자연적인 천혜의 지형이기 때문에 가능한 것이었다.

거대한 아마존 델타가 지역의 풍요로움을 이끌고 있는 것이다.

풍요로움의 원인은 지형뿐만 아니라, 우리가 사는 사회의 구조에
있어서도 또한 마찬가지이다.

사람들이 서로 만나고 교류하고 아이디어를 만들고 생산이 이루어지면서
삶의 풍요로움이 시작된다.

그런데 우리 사회는 어느 때부터, 분열되고 갈라지고 서로 대립하는
모습이 되어버렸다.

마치 순혈주의의 망령이 되살아 난 것처럼 편가르기와 적대적인 싸움이
끊이지 않고 있다.

우리 사회가 너무나 순혈주의를 강조하게 되면 혁신과 교류 없이 스스로
자멸하게 될 수도 있다.

만남과 교류, 생각과 어이디어의 조정은 혁신적인 사회의 다양한 구조적
필요에 의하여 지속되어져야 한다.

내 편과 내 생각만이 옳다는 생각을 버리고, 함께 공유하고 차이를
조정해 가는 성숙한 의식이 필요하다.

자연이 주는 밸랭의 교훈을 잊지 말자.

Belem′s Lesson

Brazil has a gateway to the great forest, the Amazon.

It is said that there is a place called Belem, where the amazing Amazon River meets the ocean.

Here, various Portuguese style buildings from the old days blend with the trees of the jungle, boasting a wonderful scenery.

The newly created city area has become a modern city lined with skyscrapers.

Many minerals such as iron and aluminum are produced here, and various agricultural products are produced in fertile land.

Mangoes, pineapples, Brazil nuts and rubber are mass-produced and exported worldwide.

It is also famous as a collecting center for medicinal herbs, where spices such as cacao and cloves are traded.

And where the sea and the river meet, about 2, 000 kinds of fish are caught in the tens of kilometers of rivers.

It is a place where numerous seafood and agricultural products are produced and traded.

What made this huge area such a prosperous land?

This was possible because it is a natural topography where the river and the sea meet.

The huge Amazon delta is what drives the region′s affluence.

The cause of abundance is same with not only the geography, but also the structure of the society in which we live.

The richness of life begins when people meet and interact with one other, create ideas and produce goods.

However, our society has been divided and opposed to one another from a certain point.

As if the specter of pure-bloodlineism has been revived, the fight, strife and hostility continues.

If our society emphasizes pure blood too much, it will be self-destructed without innovation and exchange.

Meetings and exchanges, coordination of thoughts and ideas must be sustained in response to the diverse structural needs of an innovative society.

We need a mature consciousness to share ideas, adjust differences, and change our thought that our opinions are always right.

Let′s not forget the lessons of Belem from nature.

71 마지막 레슨

실버 스케이트라는 영화에서, 한 가정교사가 자신이 가르치는 귀족가문의 한 소녀에게 이렇게 이야기를 합니다.

"나는 내가 결코 원하지 않는 삶을 사느라, 나의 전 생애를 허비했단다. 나는 인생의 강에서 내가 어디로 흘러가는 줄 알면서도, 그냥 강물을 따라 헤엄을 쳤지. 나는 한번도 강물을 거슬러 가야 하는 용기를 내지 못했어.

이것이 바로 나의 마지막 레슨이야. 다른 사람의 뜻대로 너의 인생을 살지 않는 것. 너 스스로의 뜻대로 행동하렴.

너는 진정으로 너 자신이 무엇을 원하는지 알고 있니? 그렇다면 나에게 약속해줘. 너의 꿈을 항상 쫓겠다고.

때로는 가장 힘든 결정이 가장 단순한 것에 있을 수 있단다."

우리들에게 꿈을 쫓는 것은 어쩌면 가장 힘든 일일 수 있습니다.

그것은 때때로 거센 강물을 거슬러 올라가야 하고, 험난한 바위 위에서 굴러 넘어지기도 하기 때문이지요.

하지만, 어려울수록 꿈의 미래를 바라보며 묵묵히 나아가야 합니다.

스스로의 인생을 살기 위하여,
다른 누구의 삶도 아닌 바로 나 자신의 삶을 살기 위하여,
그렇게 우리는 오늘도 걸어갑니다.

The Last Lesson

From a movie, Silver Skates,
a tutor of noble young woman said to her student.

"I've spent my whole life living the life I never wanted.

I kept swimming along the river of life, even though I know well in advance, where it would take me, but I never found the courage to swim against the current.

Here is my last lesson. Do not live by somebody else's rules. Live by your own.

Do you know what you really want? Then promise me you'll follow your dream.

Sometimes, the hardest decisions are the simplest ones to make."

Chasing your dreams can be the most difficult thing for you.

That's because sometimes you have to go up against strong rivers, and sometimes you roll over on rough rocks.

However, the more difficult it is, the more you have to walk silently while looking at the future of your dreams.

To live your own life, not anyone else's, so you walk today.

72 가까운 사이가 잘 다투는 이유

살다 보면 가까운 가족, 부부 사이일수록, 작은 일에 자주 다툼이 일어난다.

어떤 일에 대한 경중을 판단하는 기준에 차이가 있기도 하겠지만, 별것 아닌 일에도 여러 다툼과 말싸움이 일어난다.

이러한 사소한 다툼들은 방어적 기재를 사용하는 심리적 충돌이다. 어떤 한정된 상황에 종속적이지 않도록 자신의 방어기재를 작동시키는 것이다.

말하자면 기세싸움이고, 나의 생각이 옳다는 감정싸움이다.

가족은 한없이 열린 가슴으로 서로를 받아주는 관계인 동시에, 각각의 주장과 감정을 여과 없이 발산하는 살벌한(?) 관계이다.

조금씩만 서로의 생각을 존중해주고 의견을 조정할 수 있으면 좋으련만, 왠지 가족에게는 그러고 싶지 않다.

그냥 내 맘대로, 내 주장대로 하고 싶다. 그리고 이러한 사소한 싸움에서조차 이기고 싶다. 한 번 지면, 계속 질 수 있다는 강박관념도 일어난다.

평생을 함께 살아야 할 존재, 공간적인 개념과 시간적인 개념, 정서적인 개념을 모두 포함하는 초결합 관계가 바로 가족이다.

싸울 때 싸우더라도, 바로 다음 날 화해하자. 사과와 화해의 손을 내밀 수 있는 사람이 진정한 가족이며 승자이다.

In life, the closer the family or the couple, the more often quarrels arise over small things. Although there may be differences in the standards for judging the importance of a certain matter, many quarrels arise even over trivial matters.

These trivial quarrels are psychological clashes using defensive mechanisms. It is to activate one′s own defense mechanism so as not to be dependent on any limited situation. In other words, it is a battle of momentum, and it is a battle of emotions that my thoughts are right.

A family is a relationship that accepts each other with an infinitely open heart, and at the same time, it is a bloody (?) relationship in which each argument and emotion is radiated without filtration.

It would be nice if we could respect one another′s opinions and adjust our opinions a little bit, however, for some reason, we don′t want to do that to our family.

You just want to do what you want, as you insist. And you want to win even in these trivial battles. Once you lose, the obsession that you might keep losing, arises.

A family is a super-bonded relationship that includes all of the spatial, temporal, and emotional concepts of beings to live together for the rest of their lives.

Even if we fight, just reconcile next day. The person who can reach out for apology and reconciliation is the true family and the winner.

73 거대한 불꽃처럼

하우스 오브 카드라는 드라마의 첫 장면에 이런 대사가 나온다.

"세상에는 두 종류의 고통이 있지.
하나는 너를 더욱 강하게 만들어주는 고통이고, 또 하나는 그냥 괴롭게 느끼고 마는 쓸모 없는 고통이야."

이 세상에 고통의 역할이 있다면, 그것은 당연히 나를 더욱 강하게 만드는 역할이 되어야 한다.

그래서 점점 고통을 받지 않아도 되는 삶의 자리로 나아가는 것이다.

고통을 인내한다는 것은 더 이상 고통의 자리에 있지 않겠다고 하는 내적 결단을 의미한다.

고통을 참고 견디고 해소하면서 우리의 결단과 의지는 더욱 견고해지고, 열망과 꿈은 거대한 불꽃처럼 타오르는 것이다.

고통은 꿈의 대지에 놓인 불붙은 화로이다.

쇠를 녹여 더욱 단단한 강철을 만들듯이, 나를 변화시켜 새로운 존재로 태어나게 하는 동인이 된다.

This line appears in the first scene of the drama House of Cards.

"There are two kinds of pain:
the sort of pain that makes you strong or useless pain, the sort of pain that's only suffering."

If there is a role of pain, it must be a role that makes you stronger.

So we are moving forward to a place where we do not need to suffer.

Tolerating pain means an inner decision which is not to be in pain any longer.

As we endure and relieve pain, our determination and will become stronger, and our aspirations and dreams rise like a great flame.

Pain is a burning brazier placed on the land of dreams.

Just like we melt iron to make stronger steel, the pain becomes a driving force that transforms you and makes you born as a new being.

74 내 마음의 선택

살다 보면, 행복에도 더한 행복과 덜한 행복이 있을 수 있지 않을까?

아무리 진수성찬이라도 배가 부르면 먹지 못하고, 더 먹는다는 것이 오히려 고통으로 다가올 수 있는 것처럼. 고통도 겪어보면, 더한 고통과 좀 덜한 고통이 있을 것이다. 어떻게 보면, 오늘의 불편함과 고통들이 어제의 행복에 비교하면서 생기는 느낌일 수도 있지 않을까?

은행이나 관공서에서 오래 기다리게 되면 짜증이 나고 불쾌하게 느껴질 수 있다. 하지만 인도의 은행이나 관공서에서 기다리는 것에 익숙해졌다면, 우리나라의 은행이나 관공서에서는 진짜 행복감을 느낄 것이다. 처음 호주의 관공서에 가다 보면 일 처리에 속상한 일이 생긴다. 좀처럼 제대로 확실하게 처리해 주지 못한다.

그런데 지금은 그다지 불편하다고 느끼지 않는다.

왜 그럴까? 내가 적응한 것일까 아니면 그냥 그러려니 포기한 것일까..

행복이란 어차피 마음과 생각의 선택이고, 그 마음에 따라 행복도, 불행도, 고통도, 쾌락도 만들어지는 것이 아닐까..

어제의 행복과 쾌락이 오늘의 상대적 불행을 느끼게 할 수도 있고, 어제의 고통과 불행이 오늘의 상대적 행복을 느끼게 할 수도 있을 것이다.

행복과 고통이 서로 돌아서 어느 점에 맞닿아 있다면, 무작정 행복만을 쫓기보다 먼저 나의 마음과 생각을 지키는 것이 중요하지 않을까..

75 모든 곤란은 차라리 인생의 벗이다

유명한 사상가인 칼 힐티는 이렇게 말했습니다.

“위대한 사상은 반드시 커다란 고통이라는 밭을 갈아서 이루어진다.

갈지 않고 둔 밭에서는 잡초만 무성할 뿐이다.

사람도 고통을 겪지 않고서는 언제까지나 평범하고 연약함을 면하지 못한다.

모든 곤란은 차라리 인생의 벗이다.”

과연 인생의 깊이를 깨달은 사람의 말입니다.

깊이를 알면 쉽게 흔들리지 않고 요동하지도 않겠죠.

깊을수록 잔잔합니다.

아무리 심한 폭풍우가 일더라도 깊은 바다 속은 고요합니다.

결국 우리들의 인생에서 맞닥뜨릴 수 밖에 없는 곤란과 고통의 시간들은 무조건 두려워한다고 해서 피할 수 있는 것은 아니죠.

그보다 오히려 깊은 인생의 벗으로 받아들일 때, 더욱 의미 있고 굳건한 인생이 되지 않을까요?

The famous thinker, Carl Hilti put it this way:

"Great ideas are always made by plowing the field of great suffering.

In uncultivated fields, only weeds grow.

A person can never escape ordinary and frailty, without suffering.

All troubles are even the friends of life."

It is the words of a person who truly understands the depth of life.

If you know the depth of life, you won't be shaken easily and swayed.

The deeper it is, the quieter it is.

No matter how stormy the wind, the deep sea is still calm.

After all, we cannot avoid the difficult and painful times in our lives, even if we are afraid and run away.

Wouldn't it be a more meaningful and stronger life when we accept them even as friends of our lives?

76 노력하지 않는 것은 사랑하지 않는 것이다

“Chicken soup for the soul(영혼을 위한 닭고기 수프)”라는 책에 이런 글귀가 있습니다.

“Not to try is not to love.”

“노력하지 않는 것은 사랑하지 않는 것이다.”

서로 사랑하기 위해서는 함께 노력해야 하고, 노력하지 않으면 아름다운 사랑을 이룰 수 없다고 하는 것입니다.

우리는 사랑하기 때문에 노력하고 사랑하기 때문에 견디는 것이죠.

그렇게 사랑은 여러 가지 고비와 곤란 속에서도 노력을 통하여 그 어려움을 수용하고 극복해내는 것이라 생각합니다.

사랑은 감성적인 영역 뿐만이 아니라, 의지의 영역인 것 같습니다.

처음에는 감정적으로 끌리더라도 사랑에 대한 의지적인 관심과 노력이 계속되지 않는다면, 자칫 한 여름 밤의 꿈같이 흘러가 버릴 수도 있겠죠.

우리는 늘 사랑 받으며, 또한 사랑을 줌으로써 온전한 인격을 이룰 수 있습니다.

의심 없이 서로 함께 노력할 수 있을 때 말이죠.

In the book "Chicken soup for the soul," there is this phrase:

"Not to try is not to love."

It is said that to love each other, you must try together, but if you do not make an effort, you cannot achieve true love.

We try because we love,
We endure because we love.

I believe that love is about accepting and overcoming difficulties through efforts, even in the midst of various difficulties and hardships.

Love seems to be the realm of the will as well as the emotional realm.

Even if you are emotionally attracted at first, if you don′t continue your willful interest and effort for love, it may just disapear like a midsummer night′s dream.

By loving and being loved, we can become whole persons.

When we can try together without any doubt.

77 눈부신 날이 너에게

소녀시대 서현님이 주인공인 인기드라마, 징크스의 연인, 마지막회에
나온 장면입니다.

자신의 존재가 세상에 알려져서 두려워하고 있는 서현과의 대화입니다.

"내일이 오지 않았으면 좋겠어."

"나는 내일이 두렵지 않아. 내가 살면서 가장 행복한 게 언제 인줄 알아?
니가 내 옆에 있는 지금이 가장 행복하고, 내일도 함께 할거라서 너무
행복해.

너에게 말했지.
너의 불행을 행운으로 바꾸어 줄 거라고.
오늘 이 순간이 지나면 분명히 눈부신 날이 너에게 올거야."

우리에게 행복한 날은 언제일까?
그것은 누군가와 함께 있을 때일 거에요.

기쁨과 행복을 나누면 두 배가 된다고 하잖아요.

작은 행복도 함께 나눌 수 있으면 너무 좋을 것 같아요.

그리고 그러한 행복이 내일도, 모레도 이어질 수 있으면,
그렇게 잔잔한 행복이 우리 안에 스며들어 온다면,
세상은 분명히 우리에게 눈부신 날이 되겠죠?

There is a scene from the last episode of the popular drama, Jinx′s Lover, in which Seohyun of Girls′ Generation is the main character.

This is a conversation with Seohyun, who is afraid of being known to the public.

″I hope tomorrow never comes.″

"I am not afraid of tomorrow. Do you know when I am the happiest in my life?

The moment you are next to me is the happiest moment, and I am so happy that we will be together tomorrow.

I told you I will turn your misfortune into good fortune.

After this moment today, a dazzling day will surely come to you.″

When is the happiest day for you?
It will be when you are with someone.

It is said that if you share joy and happiness, it doubles.

It would be great if we could share even a little happiness.

If such happiness can continue tomorrow and the day after tomorrow.

If gentle happiness seeps into us,
it will surely be a dazzling day for us.

78 흔들리지 않는 믿음

우리가 꿈을 가지고 있다면, 때때로 좌절을 경험할 것입니다.

하지만 좌절은 영원하지 않습니다.

좌절은 순간적일 뿐입니다.

내가 좌절했다고 하는 것은, 오히려 나의 꿈이 그만큼 가치가 있다는 반증입니다.

가치가 없는 일에는 좌절할 필요도 없겠죠.

그러므로 다시 일어서야 합니다.

순간의 좌절은 우리에게 더욱 큰 도전을 줍니다.

그것은 또 하나의 기회일수도 있습니다.

좌절은 우리에게 고통을 가져다 주지만, 그러나 고통을 이긴 승리의 기쁨도 함께 가져다 줄 것입니다.

그러므로 좌절의 나락 속에 빠져들지 말고, 믿음과 신념으로 깨어 나와야 합니다.

우리의 꿈에 필요한 것은 흔들리지 않는 믿음입니다.

어떠한 상황에서도 흔들리지 않는, 바로 그 믿음입니다.

If we have dreams, we will experience setbacks from time to time.

But frustration doesn′t last forever.

Frustration is only momentary.

To say that I am frustrated is that my dreams are worth that much.

You don't need to be discouraged by things not worth.

So stand up again.

A moment′s setbacks give us a bigger challenge.

Frustration can be another opportunity.

Frustration brings us pain, but it can also bring us the joy of victory over pain.

Therefore, instead of falling into the abyss of frustration, we must wake up with faith and belief.

What our dreams need is unshakable faith.

It is the belief that does not waver under any circumstances.

79 느티나무와 무늬

아주 고귀한 고가구를 만드는 재료로는 주로 느티나무를 사용한다고 한다.

이 나무의 특징이 단단한 강도와 아름다운 무늬이기 때문이다.

특히 아름다운 자연무늬로 된 가구는 더욱 그 가치가 높다.

같은 재료라도 느티나무의 무늬가 없는 것은 몇 달이 지나도 주인을 만나지 못한다고 한다.

느티나무의 가치가 곧 무늬에 있음을 말해 주는 것이다.

가지도 별로 없고 곧게 쭉쭉 뻗어 외형상 보기에 아주 잘 빠진 나무들 중에는, 아무 고통 없이 커서 무늬가 없는 것들이 많다고 한다.

반면에 수백 년을 살면서 비바람과 태풍으로 인하여 상처 투성이인 나무를 지켜보면,
부러진 부분과 상처마다 상상도 못 할만큼 아름다운 무늬가 수 놓여진 것을 볼 수 있다.

상처와 아픔, 그 자체로는 고통이지만, 세월이 흐르면서 그 상처가 나를 성장시키고 삶의 의미를 깨닫게 한다면,
내 안에 어느덧 아름다운 삶의 무늬가 되어있지 않을까?

It is said that zelkova wood is mainly used as a material for making very noble and expensive furniture.

This is because the characteristics of this wood are solid strength and beautiful patterns.

In particular, furniture with beautiful natural patterns is said to be more valuable.

It is said that even if it is the same material not to have the pattern, it cannot be chosen long times.

This shows that the value of the zelkova is in its pattern.

Among the trees, which do not have branches, are straight, and fall out in appearance, it is said that many of them grow without any pain and have no pattern.

On the other hand, if the trees live for hundreds of years and covered with scars from storms and typhoons,
you can see unimaginably beautiful patterns embroidered on each broken parts and wounds.

Wounds are pain in themselves, but as time goes by, if those wounds make you grow and realize the meaning of life,
wouldn′t it be a beautiful pattern of life within you?

걸음은 인간이 태어나면서 최초로 도전하는 행위이다.

아기들이 누워서 몸을 뒤집고 배밀이를 하고 벽을 잡고 일어서려 하는 모든 시도는 바로 걷기 위한 것이다.

태어나서 일어나 걸으면서 인간의 공간적 영역과 창의적 메커니즘은 놀라울 정도로 확장이 되었다.

걸음은 인간의 문명을 엄청난 속도로 바꾸어 놓았다.

동물들과 똑같이 사냥과 수렵, 채집의 시절을 살았을 때에도, 인간의 걷기는 두 손을 자유롭게 쓸 수 있도록 함으로써 엄청난 잉여생산이 가능하도록 이끌었다.

손의 자유는 걷기를 통하여 이루어진 엄청난 변혁이다.

손을 통하여 이룬 인류의 문명이 바로 걷기에서 시작한 것이다.

고대의 철학적 사상들도 걷기에서 출발하였다.

사람들은 걸으면서 생각하고, 걸으면서 창조적 아이디어를 떠올렸다.

고대의 철학자들은 생각의 정원을 만들고 그 곳을 거닐면서 위대한 철학과 사상을 집대성할 수 있었고, 이러한 정원들이 교육의 장으로 변신하면서 아카데미와 스콜레가 생겨난 것이다.

걸음은 이렇게 인간의 문명과 역사와 함께 하였고 창의적 아이디어와 육체적 건강을 이끄는 최고의 명약이 되었다.

걸으면서 새로운 세계를 만나고, 삶의 의미를 되새기고, 때때로 심연의 세계에 도달하기도 한다.

나를 발견하고 세상을 발견하는, 멋진 걷기의 세계로 함께 가보자.

Humanities of Walking

Walking is the first challenge, a human being is born with.

Every attempt a baby tries to roll over, push forward on tummies, grab a wall, and stand up is to walk.

As we rise and walk, the spatial domain and creative mechanism of human beings have been surprisingly expanded.

Footsteps have changed civilization at a tremendous speed.

Even when we lived in the days of hunting and gathering just like animals, walking allowed us to use our two hands freely, leading to enormous surplus production.

The freedom of the hands is a tremendous transformation achieved through walking.

Human civilization achieved through free hands with walking.

Ancient philosophical ideas also started from walking.

People thought while walking, and creative ideas came up as they walked.

Ancient philosophers were able to compile great philosophies and ideas by creating a garden of thoughts and walking around it.

The academy and ancient skole were created as these gardens were transformed into a place of education.

In this way, walking has been with human civilization and history, and has become the best medicine to lead creative ideas and physical health.

As we walk, we meet new worlds, reflect on the meaning of life, and sometimes reach the world of the abyss.

Let′s go together to the wonderful world of walking, discovering yourself and discovering the world.

81 당신의 어깨 위에

유명한 중세의 신학자이며 철학자인 성 토마스 아퀴나스는 이렇게 말했습니다.

"용기를 잃지 않는 용감한 인간이 되라.
위로는 적절할 때, 당신을 찾아갈 것이다."

진정한 위로는 용기를 잃지 않는 자에게 주어지는 선물입니다.

용기 없이 주저앉은 사람에게는 위로의 가치가 느껴지지 못합니다.

희망을 가진 용감한 사람들의 첫 번째 모습은 일어서는 것입니다.

많은 좌절과 실패 가운데에서도 스스로 일어서는 힘이 바로 용기입니다.

희망과 함께 다시 서는 그 날, 당신의 어깨 위에 따뜻한 위로의 손길이 함께 할 것입니다.

On your shoulder

The famous medieval theologian and philosopher, Saint Thomas Aquinas said:

"Be a brave person who never loses courage.
Comfort will come to you at the right time."

True comfort is a gift given to those who have not lost their courage.

There is no sense of consolation to a person who has collapsed without courage.

The first sign of courageous people is to stand up.

Courage is the strength to stand up in the midst of many setbacks and failures.

On the day when you stand again with hope, a warm hand of comfort will be with you on your shoulder.

82 디오게네스의 행복론

"가장 적은 소유에도 만족하는 사람이, 가장 많이 가진 사람이다."

고대의 철학자, 디오게네스의 말이다. 정말 디오게네스는 그의 말처럼, 청빈 속에서도 고매한 행복을 추구하였다. 한 철인의 삶에서 잔잔한 행복의 그림을 그려본다.

고대나 현대나 삶의 모습은 그렇게 다른 것 같지 않다. 소유를 통해서 좀 더 풍요로운 삶을 유지하려는 마음은 항상 같을 것이다. 그렇게 우리는 예나 지금이나, 행복한 삶을 위하여 소유를 지향하며 살아간다.

그런데 많은 소유가 반드시 우리에게 행복을 가져다 주는 것은 아닐 것이다. 작은 소유이지만, 그것으로도 만족할 수 있는 자족의 마음이 필요하다.

자족한다는 것은 나의 행복을 단순히 소유의 많고 적음에 의존하지 않고, 열린 마음으로 스스로에게 자유를 허락하는 것이다.

우리의 행복이 소유에 갇혀있지 않고, 자유롭게 하늘을 훨훨 날 수 있도록 마음의 응원을 하는 것이다.

그리고 그러한 행복감은 온 세상을 다 가진 내적 충만함으로 다가온다.

가장 적게 가져도 만족할 수 있다면, 그것이야말로 가장 많이 가진 충만함에 비견되지 않을까?

Diogenes′ happiness

"He has the most who is most content with the least."

It's the words of the ancient philosopher, Diogenes. Indeed, as Diogenes said, he pursued a high level of happiness even in poverty. Let′s draw a picture of calm happiness in the life of an noble man.

The way of life in ancient times or modern times doesn′t seem so different. The desire to maintain a more prosperous life through possession will always be the same. In this way, we live our lives aiming for possessions for a happy life.

But having a lot doesn′t necessarily bring us happiness, right? Although it is a small possession, you will need a heart of self-sufficiency that can be satisfied with it.

Being self-sufficient means giving yourself freedom with an open mind, not relying on just having more for your happiness.

It is to support our hearts so that our happiness is not confined to possessions and our hearts can freely fly in the sky.

And that happiness will come with the inner fullness like having the whole world.

If you can be satisfied with having the least, isn′t that comparable to the fullness of having the most?

83 음악 예찬

프리드리히 니체가 말하기를, 음악이 없다면, 그 인생은 잘못된 것이라고 했습니다.

심각한 철학자의 마음에서 음악이 큰 찬사를 얻었습니다.

음악과 함께 하는 삶은 정말 풍성한 감상과 감격이 넘칩니다.

배경음악이 없는 드라마나 영화를 생각해보세요.

얼마나 건조하고 지루할까요?

음악이 없는 우리의 삶은 또 얼마나 지루하고 힘들까요?

음악은 우리의 삶을 영화처럼 아름답고 멋지게 만들어주고 이야기의 풍성함을 더 해줍니다.

음악은 메마른 대지에 내리는 단비같이 우리의 영혼을 적셔줍니다.

음악은 아침 햇살처럼 따스하게 우리의 영혼을 감싸줍니다.

우리에게 음악보다 더 감미로운 친구가 있을까요?

Praise Music

Friedrich Nietzsche said, " Without music, life would be a mistake.

In the mind of serious philosopher, music earned great acclaim.

Life with music is truly full of rich appreciation and emotion.

Think of a drama or movie with no background music.

How dry and boring will it be?

How boring and difficult is our life without music?

Music makes our lives as beautiful and wonderful as the movies, and adds to the richness of our stories.

Music moistens our souls like rain on a dry land.

Music envelops our souls as warm as the morning sun.

How can we have a friend sweeter than music?

84 행복한 그림 그리기

오늘의 웹툰이라는 드라마에서 힘들어하고 있는 작가에게 건네준 말 한마디.

"작가님에게는 어떠한 사람도 행복하게 할 수 있는 능력이 있어요.

작가님의 따뜻한 유머가 사람들을 행복하게 합니다."

모든 사람을 행복하게 할 수 있는 능력이 있으면 얼마나 좋을까?

과연 그것은 무엇일까?

나는 그날부터 고민에 빠졌다.

우리는 무엇으로 행복을 느끼는가?

혹시 기대하지 않았던 큰 돈이 생긴다면 진짜 행복하겠지..

그런데 그것은 현실에서 일어나긴 어려운 일일 것이다.

그러면 좀 더 고상하게, 자연의 싱그러운 빛깔과 감상 속에 사는 것?

그런데 자연과의 조우가 모두에게 행복을 가져다 주는 것은 아닐 것이다.

좀 더 확실한 행복이 없을까?

매일 맛있는 음식을 먹을 수 있다면, 정말 행복할까?

그것도 며칠 지나면, 좀 지겨워 지겠지..

어떤 사람들은 따뜻한 포옹에 행복해 질 수 있고, 어떤 사람들은 멋진
옷에 행복해 지겠지.

재밌는 유머도 좋고 신나는 여행도 모두 행복한 일이 될 수 있을 것이다.

나는 고민 끝에 잠정적인 결론을 내려보기로 마음먹었다.

어떤 사람이라도 행복하게 하는 것은 각자 우리에게 주어진 인생들을
성실하게 지켜가는 것이 아닐까?

사람들이 웹툰을 보면서 흥미진진한 이야기와 따뜻한 유머에 행복을
느낄 수 있는 것처럼,

그렇게 우리 자신들의 일을 열정적으로 이루어 갈 때,
우리 안에 행복한 삶의 그림들이 그려지지 않을까?

85 세상만 탓하고 앉아있을 수는 없다

살다 보면, 열심히 살려고 노력했는데,

나의 의지와는 상관없이 외부적 요인으로 고통스러운 일들이 일어날 때,

힘이 많이 빠지고 낙심하게 됩니다.

정말 덜컹, 심장이 떨어지는 것 같은 느낌을 받게 되지요.

그런데 한편으로 또 다시 생각해 보면, 그렇다고 그냥 앉아있을 수만은 없는 것 아니겠어요?

그럴수록 더 힘을 내야 하는 것이 우리의 운명 같습니다.

헨리 나우엔이라는 분이 쓴 '상처 입은 치유자'라는 책이 있습니다.

나름 세상을 치유하는 사람이 되고 싶은데,

자신이 상처를 받고 있는 현실을 어떻게 받아들여야 할까?

그렇죠. 우리 모두는 상처받고, 또 위로하고 그렇게 서로를 위한 치유자로 살아가는 것 같습니다.

힘들수록 서로 위로하면서 함께 일어날 수 있기를 바래봅니다.

86 두려움 속에 희망

우리의 삶에서 늘 교차하는 것은 희망과 두려움이다.

매일 시간은 흘러 미래로 나아가지만, 그곳엔 희망뿐만 아니라 두려움도 함께 있다.

가보지 못한 세상, 경험하지 못한 시간들에 대한 두려움은 늘 우리와 함께 하지만, 또 다시 희망이라는 존재로 다가온다.

생각해 보면, 하루의 시간 중에서 제일 아름다운 시간은 낮과 밤이 교차하는 시간일 것이다.

낮의 해와 밤의 달이 공존하는 짧은 시간, 세상은 가장 아름다운 빛으로 물든다.

낮의 희망과 밤의 두려움은 그렇게 서로를 아우르며, 흐르는 시간의 가치를 드러낸다.

희망과 두려움이 공존하는 우리의 삶의 시간들도 어쩌면 이렇게 가장 아름다운 시간이 아닐까?

두려움 속에 희망이 존재함으로, 우리에게 희망은 더욱 아름답고 소중한 존재가 된다.

희망의 빛이 우리 안에 물들어 갈 때, 우리의 전 생애를 통하여 그려지는 그림은, 가장 가치 있는 작품이 될 수 있을 것이다.

What always intersect in our lives is hope and fear.

Every day, time passes and we move into the future, but there is not only hope but also fear.

The fear of the place we haven't been to and the fear of times we haven't experienced, is always with us, but again it comes as an existence of hope.

If you think about it, the most beautiful time of the day is the time when day and night intersect.

In a short period of time when the sun during the day and the moon at night coexist, the world is colored with the most beautiful light.

The fear of the night and the hope of the day embrace each other in this way, revealing the value of the passing time.

Aren't the times of our lives, when hope and fear coexist, perhaps the most beautiful?

As hope exists in fear, hope becomes more beautiful and precious to us.

When the light of hope shines within us, the paintings drawn throughout our entire lives can become the most valuable works of art.

87 공감, 마음의 합창

힘든 시절을 함께 한다는 것은 참 가슴 뭉클한 일이다.

힘들고 어려운 시절, 따뜻한 밥 한 그릇, 위로의 말 한 마디가,
사람들에게 용기를 주고 꿈을 향한 도전을 이어가게 한다.

우리에게 마음과 마음을 나눌 수 있는 따뜻한 이웃이 있다면, 얼마나
좋은 인생일까?

요사이 뉴욕의 한인가게에 대한 소식이 또 다시 가슴을 뭉클하게 한다.

40년간 샌드위치 가게를 운영하던 한인부부가 은퇴하면서 문을 닫게
되었고, 이에 브로드웨이 뮤지컬 배우들이 모여서 감동의 노래를
불러주었다는 소식이었다.

뉴욕의 무대에 서기 위하여 꿈을 가지고 어려운 시기를 견디어 왔던
그들에게, 이곳의 샌드위치는 단순한 요기거리 음식이 아니라, 지친
몸과 마음을 달래주는 어머니의 간절한 기도와 격려가 아니었을까?

샌드위치라는 단순한 음식을 만들고 파는 단순한 인생이지만,
그들에게는 꿈의 아름다운 열매를 나누는 만찬장의 축제가 아니었을까?

성실하고 따뜻한 사람들의 일상은 힘든 세상에서, 잔잔한 물 위의 작은
조각배처럼 마음의 여유와 행복한 감상을 만들어 준다.

욕망과 경쟁이 난무하는 도시에서 조금 마음을 놓고 단순한 배부름의 시간을 가질 수 있는 삶의 피난처는 누구에게나 필요하다.

그것이 샌드위치 가게든, 작은 카페든, 잔디밭 공원이든, 서로의 마음이 이어지고 바람의 격려가 일면, 우리의 영혼은 쉼을 얻고 또 다시 꿈을 잉태한다.

오늘은 공원에서 작은 샌드위치를 먹으며 시원한 바람을 맞고 싶다.

Sympathy, Chorus of Hearts

It′s really heartwarming to be together through hard times.

In difficult and hard times, a bowl of warm rice and a word of consolation give people courage and make them continue to pursue their dreams.

If we had warm neighbors whom we could share our hearts and minds with, it would be a great life.

Recently, the news about a Korean sandwich shop in New York touches my heart again.

It was news that a Korean couple who had run a sandwich shop for 40 years had to close down after retiring, and Broadway musical actors and actresses gathered to sing a touching song.

For those who have endured difficult times for a dream to stand on the stage in New York, the sandwiches here were not just snacks, but earnest prayers and encouragement from their mothers to soothe their tired bodies and minds?

It′s a simple life of making and selling simple food called sandwiches, but it was a feast at the banquet hall where they shared the beautiful their dreams?

The daily lives of sincere and warm people create peace of mind and happy appreciation, like small boats on calm water in a difficult situation.

Everyone needs a refuge in life where they can relax a little and have a simple time to get full in a city where desires and competition are rampant.

Whether it′s a sandwich shop, a small cafe, or a lawn park, when our hearts connect and the wind of cheering blows, our souls find rest and dream again.

Today, I want to eat a small sandwich in the park and feel the cool breeze.

88 손님이 찾아오지 않는 집에는

아랍 속담에 이런 말이 있다.

"손님이 찾아오지 않는 집에는 천사도 찾아오지 않는다."

정말 좋은 교훈이 되는 말이다.

손님을 환영하는 집의 주인은 따뜻하고 넓은 마음을 가졌을 것이다.

낯선 사람에게도 호의를 베풀고 필요한 식사와 잠자리를 제공할 것이다.

이런 집에는 손님들이 자주 방문하고 따뜻한 인사와 정을 나눈다.

반면에, 손님이 찾아오지 않는 집의 주인은, 좀 이기적이거나 욕심이
과한 사람일 수 있다.

좀처럼 자신의 것을 나누려 하지 않거나 타인을 잘 배려하지 않는
사람일 것이다.

그런데 우리가 원하는 천사, 축복은 어디에서 오는 것일까?

그것은 바로 타인에게서 온다.

우리가 바라는 재물과 복은 사실, 다른 사람에게서 오는 것이다.

내가 욕심으로 얻는 결과는 복이 아니라, 그냥 욕심으로 채워진 재물일 뿐이다.

우리가 가진 것의 대부분은 내가 아닌 다른 사람에게서 나에게 온 것이다.

직업을 통해서, 또 사업과 투자를 통해서 다른 사람으로부터 나에게 이익이 오고 재물이 온다.

이렇게 모든 복은 내가 스스로 만들어 내는 것이 아니라, 누군가로부터 나에게로 온 것이다.

그래서 다른 사람, 손님을 대하는 태도가, 내가 복을 얻는 중요한 기초가 될 수 있다.

우리는 꽁꽁 움켜지면 많이 가질 것 같지만, 때때로 손을 펴고 나눌 수 있는 호의가 있어야 나에게 더 많은 복이 오게 된다.

고대로부터 척박한 삶의 터전에서 살았던 사람들의 지혜는, 세월을 넘어 우리에게도 진솔한 삶의 가르침이 된다.

천사의 축복을 얻을 수 있는 집은, 바로 손님을 천사처럼 대하는 우리의 마음과 태도가 아닐까?

There′s an Arabic proverb that says;

″A house that has no guests,
angels don′t visit.″

It′s a good lesson to learn.

The owner of a house that welcomes guests must have a warm and big heart.

He or she would extend a favor to even strangers and provide them with a much needed meal and a place to sleep.

In such a home, guests would visit often and share warm greetings and affection.

On the other hand, the owner of a house that doesn′t receive guests might be a bit selfish or greedy.

They may be unwilling to share what they have, or they may not be very considerate of others.

Where do the angels and blessings we want come from?

They come from others.

The riches and blessings we desire are actually coming from other people.

The result of greed is not blessings, it's just greed-filled wealth.

Most of what you have came from someone else, not from yourself.

Profits and riches come to you from others, through your job, through your business, and through your investments.

All of these blessings are not of your own making; they come to you from someone else.

So how you treat others, your guests, can be an important source of your happiness.

We think we have a lot when we hold tight, but sometimes more blessings come to us when we have the favor to open our hands and share with others.

The wisdom of those who have lived in harsh conditions since ancient times is timeless and the wisdom can teach us true life lessons.

Isn't the house where we expect to be blessed by angels, the very heart and attitude that treats our guests like angels?

89 행복은 선택

행복은 선택이라는 말이 있죠?

정말 그런 것 같아요.

아무리 상황이 멋있고 좋아도 내가 스스로 행복을 선택하지 않으면,
그냥 스쳐 지나가는 하나의 시간이겠죠.

행복은 어떤 상황에서든지 내가 선택할 수 있는 권리입니다.

파랑새를 가슴에 품지 않으면 그냥 날아가 버리는 것처럼,
우리의 행복한 시간들도 내가 선택하고 받아들이지 않으면,
금방 사라져 버리는 안개와 같을 거에요.

작은 기쁨에도 감사하고 스스로 행복의 기운을 받아들일 때,
비로소 내가 누리는 나의 진짜 행복이 될 수 있겠죠.

행복을 선택하라!

이것이 행복하기 위한 가장 필요한 행동입니다.

There is a saying that happiness is a choice.

I really think so.

No matter how cool and good the situation is,
if you don´t choose happiness on your own, it will just pass by.

Happiness is your right to choose in any situation.

Just as if you don´t hold the blue bird in your heart, it will just fly away,
your happy times will be like fog that will quickly disappear
if you don´t choose and accept them.

When you are grateful for even the small joys and accept the energy of happiness,
it can become your true happiness that you enjoy.

Choose Happiness!

This is the most necessary action to be happy.

90 행복한 하루는 사랑이다

"나의 심장은 당신을 만나서 빠르게 뛰고 있는데, 당신의 심장은 그렇지 않네요. 당신도 나처럼 너무 기뻐할 줄 알았어요."

그녀는 눈살을 찌푸리며 말했다.

"당신을 만나기 전까지는 나의 심장도 빠르게 뛰고 있었어요."

그는 그녀의 얼굴을 두 손으로 감싸 안고 눈동자를 바라보며 말했다.

"그러면 내가 당신을 지루하게 한다는 말인가요?

그녀는 다시 그에게 물었고, 그는 미소를 지으며 이렇게 말했다.

"당신이 나를 평온하게 한다는 뜻이에요." - 인터넷에서

아 정말 그런 것 같아요.

사랑이 깊어지면, 모든 걱정은 사라지고 평온한 마음을 얻게 되는 것.

사랑은 단지 함께 한다는 것만으로도 깊은 행복을 느끼는 것이죠.

오늘 사랑하는 사람과의 만남, 어떠신가요?

행복한 하루는 사랑입니다~

“My heart is beating so fast. Yours isn′t. I thought you are as excited to see me.” She frowned.

“It was beating fast till I saw you.” He said, holding her face in his hands and tilting it up so she could lock her eyes with his.

“So, you′re saying I bore you?” She asked.

“I am saying, you calm me.” He smiled. - from the Internet

Oh, I really think so.

When love deepens, all worries disappear and you gain a peaceful mind.

Love is feeling deep happiness just by being together.

How about being together with your loved one today?

A happy day is love~

* All images from the internet / 모든 이미지는 인터넷에서 캡처됨